Inglés sin Barreras

El Video-Maestro de Inglés Conversacional

12 La última aventura

Manual

Para información sobre
Inglés sin Barreras
en oferta especial de
Referido Preferido
1-800-305-6472
Dé el Código 03429

ISBN: 1-59172-171-7   I704VM12

Dedicatoria

Dedicamos este curso a todos los hispanos que tomaron la iniciativa de traer el idioma inglés a sus vidas para expandir sus horizontes. Los sueños pueden convertirse en realidad. Con gran respeto y afecto,

Sus amigos de Inglés sin Barreras

Metodología	Center for Applied Linguistics
Texto	Karen Peratt, Cristina Ribeiro
	Center for Applied Linguistics
	International Media Access, Inc.
Ilustraciones	Gabriela Cabrera, Linda Beckerman
Diseño gráfico	Gabriela Cabrera, José Luis Quilez,
	Leena Hannonen/MACnetic Design,
	David Kaestle, Inc., Martin Petersson
Guión adaptado - inglés	Karen Peratt
Guión adaptado - español	Cristina Ribeiro
Edición	Horacio Gosparini, Yuri Murúa,
	Damián Quevedo, Mike Ramirez
Aprendamos viajando	Marcos Said, Pablo Moreno, Alfredo León
Música	Erich Bulling
Diseño gráfico - video	Marcos Said
Fotografía	Alejandro Toro, Alfredo León
Producción en línea	Miguel Rueda
Dirección - video	Loretta G. Seyer, Patricio Stark
Coordinación de proyecto	Cristina Ribeiro
Dirección de proyecto	Karen Peratt
Directora ejecutiva	Valeria Rico
Productor ejecutivo y director creativo	José Luis Nazar

La última aventura

Índice

¡Bienvenido al cine de Inglés sin Barreras!

Aprender inglés no tiene por qué ser una tarea ardua y aburrida que consista únicamente en repeticiones y memorizaciones. Todos los días usted se encuentra con mil situaciones que representan un nuevo reto y una nueva oportunidad de aprendizaje, incluso mientras se divierte o relaja con su familia o amigos.

Para este volumen final hemos elegido una película, que Ud. podrá entender y disfrutar en inglés, y así demostrarle que también puede aprender inglés viendo películas de Hollywood. Seleccionamos esta película por su gran valor didáctico para el estudiante de inglés, ya que sus diálogos cotidianos y naturales están repletos de expresiones familiares y frases incompletas, acentos diversos y formas de hablar cultas y vulgares, tal como habla la gente en la vida diaria en un país de habla inglesa.

Cómo estudiar con esta película

El manual contiene el diálogo en inglés y la traducción al español. A la derecha, encontrará la transcripción de los diálogos del video, con notas a pie de página. A la izquierda, encontrará la versión equivalente en español. Por favor, recuerde que no es posible ni deseable traducir exactamente de un idioma a otro.

> **¡Ojo!**
> La versión en inglés incluye algunas correcciones gramaticales
> (Por ejemplo: **you were=** tú eres, en vez de **you was**, que
> es incorrecto aunque ciertas personas lo usen.)

Los números correspondientes al contador que aparece en pantalla se encuentran a la derecha del texto del inglés. Así podrá seguir o encontrar cualquier escena con facilidad.

Introducción

El uso. La manera recomendada de estudiar es la siguiente:

1 Vea la película original completa sin consultar su manual o diccionario.
   Escuche los diálogos y trate de entender el sentido general de las
   conversaciones, aunque no comprenda el significado individual de cada
   palabra. Las imágenes le ayudarán. Probablemente se sorprenda al
   comprobar cuánto entiende.

2 Lea su manual sin ver el video. Lea el inglés y el español con la intención
   de entender exactamente la historia y de aprender lo que significa en inglés.

3 Vea la versión original desde el principio y use el botón de pausa para
   detener el video y referirse al manual, tanto para aclarar lo que oye en
   inglés como para revisar la traducción en español.

4 Continúe viendo la película hasta que pueda entender la película por comple-
   to. Repita lo que dicen los protagonistas para practicar su pronunciación.

> **Sugerencia...** Quizá le resulte más fácil seguir estos mismos
> pasos, pero dividiendo la película en segmentos. Puede utilizar
> las divisiones que encontrará en el manual, o puede decidir
> la duración de cada segmento Ud. mismo.

Hemos incluido una serie de notas a pie de página para que pueda comprender
mejor el diálogo de la película. Después de cada palabra o frase escogida verá un
pequeño número, como por ejemplo:[1]. Cada número corresponde a una nota
a pie de página. Abajo, observará la palabra o frase repetida, además de su
significado. También verá unas categorías entre paréntesis ( ). Estas categorías
corresponden a nuestra explicación acerca de dicha palabra o frase.

Ésta es la guía de las categorías:

Literal = Traducción literal (Se refiere al significado palabra por palabra, muchas veces con un sentido diferente de lo que la frase significa en inglés).

Coloquial = Coloquialismo (Frase o palabra de uso informal o común).

Gramatical = Error gramatical (Uso indebido de una palabra o frase).

Proverbio = Proverbio (Dicho, refrán).

Vulgarismo = Vulgarismo (Grosería).

[...] = Palabra indebidamente omitida por el hablante.

> **¡Ojo!**
> No se olvide que una palabra o frase puede tener más de un significado y que aquí solo se incluye el apropiado al caso.

Al estudiar con la película, tenga en mente las siguientes metas:

La primera meta consiste simplemente en poder entender la historia en su totalidad y con todo detalle sin consultar su manual.

La segunda meta consiste en poder pronunciar el diálogo de la película con el acento americano usado por los actores. Esto se logra imitando exageradamente la pronunciación de los actores.

La tercera meta es la de integrar el conocimiento que ha adquirido del vocabulario, la pronunciación y uso de los diálogos, y aplicarlos a su inglés hablado.

Una meta adicional para nuestros estudiantes más avanzados es lograr escribir correctamente las palabras y frases utilizadas en los diálogos, usando el video como una fuente de dictado y el libreto para comprobar su ortografía.

Introducción

Al acabar sus estudios con "La última aventura", usted no sólo podrá entender más de mil palabras de uso diario, sino que sabrá cómo se pronuncian, se usan y se escriben correctamente.

La película

La última aventura es un largometraje protagonizada por el actor norteamericano Stacy Keach (en el papel de Harlan Errickson) y la actriz canadiense Genevieve Bujold (Rachel Roux).

Stacy Keach es un actor sumamente versátil cuyos éxitos en el cine, televisión y teatro incluyen papeles tan variados como "Hamlet", "Buffalo Bill", o "Hemingway". La popular serie de televisión "Mike Hammer" lo convirtió en 1985 en una cara conocida en los hogares del mundo entero.

Genevieve Bujold es una estrella de fama mundial que ha trabajado en más de veinticinco películas dirigidas por los mejores directores cinematográficos. En "La última aventura", Bujold crea otro personaje inolvidable al combinar la fortaleza y vulnerabilidad, la madurez e inocencia que siempre han caracterizado a sus papeles.

La historia se desarrolla en un pequeño pueblo del norte de California llamado Lexington y la trama es una versión moderna de la famosa tragedia bíblica de Caín y Abel.

Tras diecisiete años de cárcel por un crimen que no recuerda, Ben Driscoll llega a Lexington, un pueblecito californiano. Lexington vive bajo el yugo de los Errickson, una familia terrateniente y corrupta, a cuya cabeza está Marshall Errickson, terror y cacique absoluto del lugar. Con la ayuda de Rachel Roux, una locutora de radio, Driscoll desenterrará secretos e injusticias del pasado.

Ahora, cocine sus palomitas de maíz y ¡disfrute de **"la última aventura"**!

Sus amigos de Inglés sin Barreras

Música y letra
Willie Dixon

Yo no confío en mí mismo	I Don't Trust Myself
Los viejos me dijeron	The old folks told me
Mucho tiempo atrás	Long time ago
Que no confiara en nadie	Don't trust nobody
Que no conociera	That I don't know
No confío en nadie	I don't trust nobody
Ni siquiera en mí mismo	Not even myself
Ahora, no confío en ti	Now, I don't trust you
Y no confío en nadie más	And I don't trust nobody else
No confío en mi hermana	I don't trust my sister
No confío en mi hermano	Don't trust my brother
No confío en mi padre	Don't trust my father
No confío en mi madre	Don't trust my mother
No confío en un bebé	Don't trust a baby
No confío en un hombre	Don't trust a man
Y no confío en ninguna maldita cosa	And I don't trust a *dog gone*[1] thing
No confío en el juez	I don't trust the judge
No confío en la policía	Don't trust the police
No confío en un amigo	I don't trust a friend
Y tampoco puedo en un sacerdote	And can't neither a priest
No confío en un autobús	I don't trust a bus
No confío en un avión	I don't trust a plane
No confío en ninguna maldita cosa	I don't trust a doggone thing

---

1   Doggone: (literal) Perro-ido; (coloquial) forma más cortés de "god damned"= maldita, maldita sea.

Introducción

No confío en nadie	I don't trust nobody
Ni siquiera en mí mismo	Not even myself
Pues, no confío en ti	Well, I don't trust you
No confío en nadie más	I don't trust nobody else
Y he sido este tonto	And I've been this fool
Tonto de muchas maneras	Many kinds of fool
Jugando a ser un poco duro	Playing a bit *cool*[2]
Siempre me usaron	I was always used
No confío en nada	I don't trust nothing
Ni siquiera en mí mismo	Not even myself
No confío en ti	I don't trust you
Ni en nadie más	And nobody else
No confío en una mujer	I don't trust a woman
No confío en un hombre	Don't trust a man
No confío en el enemigo	Don't trust the enemy
Tampoco en un amigo	Neither a friend
No confío en cuándo	I don't trust when
Ni confío en quién	And I don't trust who
Oh, ni siquiera confío	Oh, I don't trust even
En ninguno de ustedes	None of you
No confío en nadie	I don't trust nobody
Ni siquiera en mí mismo	Not even myself
Pues, no confío en ti	Well, I don't trust you
Y no confío en nadie más	And I don't trust nobody else
No confío en mi hijo	I don't trust my son
No confío en mi hija	I don't trust my daughter
No confío en el pan	Don't trust the bread
No confío en el agua	Don't trust the water

---

2   cool: (literal) Fresco; (coloquial)= Duro, tranquilo, calmado, etc.
     (de acuerdo con el contexto de la frase).

No confío en la comida
No confío en la noche
No confío siquiera en
El Dios del cielo

No confío en nadie
Ni siquiera en mí mismo
Pues, no confío en ti
No confío en nadie más

Don't trust the food
Don't trust the night
I don't trust even God
 above

I don't trust nobody
Not even myself
Well, I don't trust you
I don't trust nobody else

La última aventura

San Diego, California, 1973

Harlan Joven ¿Driscoll? ¡Driscoll! ¡Driscoll! ¡Driscoll!

Driscoll *Aquí, Errickson.*

*Está muerto. Sí, hice el cambio.
Ahora preparen mis cosas. Tengo que salir de aquí.*

Harlan es confundido con Driscoll

Estibador *¡Dios mío! ¿Qué te ha ocurrido? Aún estás vivo, Driscoll. Aguanta, Driscoll. Te conseguiremos ayuda. ¡Ayúdenme! ¡Alguien ayúdeme!*

Lexington, California, día presente

Z.Z. Hill *Alguien apiádese
Apiádese de mí
Alguien apiádese
Apiádese de mí*

Rachel *Impredecible y caliente. Tengo una que los pondrá en ascuas. Ya la escuchamos hoy, a pedido especial del héroe local de esta semana, nuestro Jefe de Bomberos de Lexington, Ernie Campbell. ¿Sr. Campbell? ¿Esta canción tiene algún significado especial para usted?*

Ernie *Es sólo una canción que le gusta a mi nietecita.*

Rachel *Oh. Cuatrocientos cincuenta y un grados Fahrenheit. Eso es bastante caliente.*

Ernie *Es mucho más caliente que eso.*

Rachel *¿Tiene miedo a veces?*

La última aventura

San Diego, California, 1973   00:00

Young Harlan Driscoll? Driscoll! Driscoll! Driscoll!

Driscoll   Over here, Errickson.

He's dead. Yeah, I made the switch.
Now get my stuff ready. I *gotta*[3] get out of here.

Harlan is Mistaken for Driscoll.   03:11

Dock Worker My God, what happened to you? You're still alive, Driscoll. You
hang on, Driscoll. We'll get help for you. Help! Somebody help!

Lexington, California, present day. 03:49

Z.Z. Hill   Have mercy somebody
Have mercy on me
Have mercy somebody
Have mercy on me

Rachel   Unpredictable and hot. I have one to set you smoldering.
We played it for you today at the special request of this week's
local hero, Lexington's very own fire chief, Ernie Campbell. Mr.
Campbell, does that song have any special significance for you?

Ernie   It's just a song my little granddaughter likes.

Rachel   Ah. Four hundred and fifty-one degrees *Fahrenheit*[4].
That's pretty hot.

Ernie   It's a whole lot hotter than that.

Rachel   Are you ever scared?

---

3   gotta: (coloquial) Forma de "I have got to"= tengo que...
4   Fahrenheit: Medida de temperatura comúnmente usada en EE.UU. (451° Fahrenheit son equivalentes
a 233° grados centígrados).

Ernie	*Diablos, claro que tengo miedo. Si me dieran un centavo por cada vez que me mojo los pantalones en un incendio sería un hombre rico.*
Rachel	*Sin duda es una forma original de apagarlos.*
Ernie	*¡Sí!*
Rachel	*Bueno, ésa es la marca de un verdadero héroe. Alguien que tiene tanto miedo como el resto de nosotros, pero que igual hace lo que hay que hacer, de todas formas. Gracias otra vez, Sr. Ernie Campbell, por acompañarnos hoy.*
Ernie	*¿Eso es todo?*
Rachel	*Eso es todo.*
Ernie	*Bueno, encantado de conocerla.*
Rachel	*Encantada de conocerlo.* *Muy informativo, Sr. Campbell.*
Ernie	*Hasta pronto a todos. Ah, hola, Karl. ¿Cómo estás?*
Karl	*Todo bien, Jefe. Todo bien. Todo está bien.*
Rachel	*¿Con hongos? Sí, señor de las pizzas.*
Karl	*Es el señor de las pizzas; sólo para ti, querida.*
Rachel	*Gracias.*
Karl	*Y, ¿no te dije que el viejo estaría magnífico?*
Rachel	*Karl ... él es un buen hombre... ¿Dejé un buen trabajo en Atlanta para venir aquí a hacer esto? Estoy incómoda con esto.*
Karl	*Querida, te estoy dando justo lo que quieres.*
Rachel	*Acordamos que tendría mi propio programa, que lo haría a mi manera. Que probaría cosas nuevas. ¿Cuándo ocurrirá eso?*

Ernie	Hell, I'll say I'm scared. If I had a penny for every time I wet my pants at a fire I'd be a rich man.
Rachel	*[It is]*[5] Sure a novel way to put them out.
Ernie	*Yeah*[6]!
Rachel	Well, that's the mark of a true hero. Someone who is just as scared as the rest of us, but does what needs to be done anyway. Thanks again, Mr. Ernie Campbell, for joining us here today.
Ernie	That's it?
Rachel	That's it.
Ernie	Well, [it is] nice meeting you.
Rachel	[It is] Nice meeting you. Very revealing, Mr. Campbell.
Ernie	So long, everybody. Oh, hi, Karl. How are you doing?
Karl	Looking good, Chief. Looking good. Everything's looking good.
Rachel	Mushroom? Yeah, pizza man.
Karl	It's the pizza man; just for you, darling.
Rachel	Thank you.
Karl	So, didn't I tell you that *old bird*[7] would be great?
Rachel	Karl...he's a very nice man... I left a good job in Atlanta to come down here and do this? I'm uncomfortable with this.
Karl	*Honey*[8], I'm giving you just what you want.
Rachel	We agreed that I'd have my own show, do it my own way. Try new things. When is that going to happen?

---

5   sure: (gramatical) Debe ser "It is sure" = es de seguro...
6   yeah: (coloquial) Forma de "yes"= sí.
7   old bird: (literal) Viejo pájaro; (coloquial)= viejo, anciano.
8   honey: (literal) Miel; (coloquial)= expresión de cariño.

La última aventura

Karl   *Sólo dale un poco más de tiempo, ¿eh? Se acerca el programa del Día de los Veteranos. ¿Ya tienes algo preparado para ese día?*

Rachel   *Todavía no.*

Karl   *¿Y qué estás esperando?*

Rachel   *Fueron los Ritmos y Canciones de Coyote, poniendo fin a otra semana. Poniendo fin a otra semana y a otro perfil de uno de nuestros propios héroes locales. Me gustaría dejarlos con algunos pensamientos sobre el Jefe de Bomberos Ernie Campbell y todos aquellos que, como él, nunca olvidan que en algún momento de la vida de todos, los acontecimientos nos obligan*
a descubrir exactamente de qué estamos hechos.

En casa de los Errickson

Marshall   *Buenos días, querida. Vas a enfermarte de neumonía aquí afuera, ¿sabes?*

Vera   *Anticongelante. Pero qué considerado de tu parte, aún así venir corriendo a casa después de una ajetreada noche con tu amante, para asegurarte de que no me resfríe.*

Marshall   *¿No te parece que ése tendría que ser el último por hoy? ¿O irte para adentro? La gente habla, sabes.*

Vera   *Oh, no. ¡Seguro que la gente no habla de mí!*

Marshall   *Bueno, me alegro de que te parezca gracioso, Vera. Porque no creo que tu hija piense lo mismo y yo sé que a mí no me lo parece. Esta familia aún tiene una reputación en este pueblo, ¿sabes?*

Vera   *Sí, lamentaría tener que decirte cuál es.*

Marshall   *Hay un halcón allí, contra el cerco. Míralo, si quieres. Te estás arruinando la salud, lo sabes, Vera.*

Karl Just give it a little more time, huh? We've got that Veteran's Day show coming up. You've got something *lined up*[9] for that yet?

Rachel Not yet.

Karl So what are you waiting for?

Rachel This is Coyote's Rhythm and Blues, *wrapping up*[10] another week. Wrapping up another week and another profile of one of your very own local heroes. I'd like to leave you with thoughts of Fire Chief Ernie Campbell and all those like him who never forget that at some time in everyone's life, the events force us to discover just exactly what we're made of.

The Errickson House   06:08

Marshall *'Morning*[11], dear. You're going to catch pneumonia out here, you know.

Vera Antifreeze. It is thoughtful of you, though, to rush home after a rough night with your mistress to make sure I don't catch a cold.

Marshall You don't suppose you could make that your last one for the day, could you? Or go inside? People talk, you know.

Vera Oh, no. Surely people aren't talking about me?!

Marshall Well, I'm glad that you think it's funny, Vera. *'Cause*[12] I don't think your daughter does and I know that I don't. This family still has a reputation in this town, you know?

Vera Yeah, and I hate to tell you what it is.

Marshall There's a hawk down on the fence post. Take a look if you like. You're ruining your health, you know, Vera.

---

9   lined up: (literal) En línea; (coloquial)= listo, preparado.
10   wrapping up: (literal) Envolviendo; (coloquial)= terminando, finalizando.
11   'morning: (coloquial) Forma de "good morning"= buenos días.
12   'cause: (coloquial) Forma de "because"= porque.

La última aventura

Rachel y Audrey en la feria

Comisario   *Buenos días, Jim.*

Jim   *Buenos días.*

Audrey   *Hola, preciosa. Rachel.*

Rachel   *Hola.*

Audrey   *¿Cómo estás?*

Rachel   *Aquí tienes. Exactamente lo que necesitas, maestra.*

Audrey   *Oh, algo para recordarme todos los sitios adonde no puedo ir por falta de dinero.*

Rachel   *Veamos. Justo en el medio del Océano Atlántico.*

Audrey   *Será mejor que aprenda a nadar. Veamos esto. Muchísimas cosas. ¡Qué preciosos! ¡Hola, cariñito! Oh, estás bien. ¿No eres adorable? Oh, me encantan estas medallas antiguas.*

Rachel   *¿Quién donó esto?*

Vendedora   *No sé.*

Audrey   *¿Cuánto?*

Vendedora   *Quince dólares.*

Audrey   *Oh, magnífico.*

Rachel   *¿No irás a comprar esto?*

Audrey   *¿Por qué no? Es para una buena causa.*

Rachel   *¿Qué vas a hacer con ella?*

Rachel and Audrey at the Fair   07:23

Sheriff   'Morning, Jim.

Local Man   'Morning.

Audrey   Hi, *cutie*[13]. Rachel.

Rachel   Hi.

Audrey   How are you?

Rachel   Here you go. Exactly what you need, teacher.

Audrey   Oh, something to remind me of all the places I can't afford to go.

Rachel   Let's see. Right in the middle of the Atlantic Ocean.

Audrey   I'd better learn how to swim. Let's check it out. A lot of stuff. Cute! Hi, *sweetie*[14]! Oh, you're all right. Oh, are you adorable? Oh, I love these old medals.

Rachel   Who donated this?

Sales Woman   I don't know.

Audrey   How much?

Sales Woman   Fifteen dollars.

Audrey   Oh, great.

Rachel   You're not going to buy this?

Audrey   Why? It's for a good cause.

Rachel   What are you going to do with it?

---

13   cutie: Diminutivo de "cute"= preciosa; (coloquial) expresión de cariño.
14   sweetie: Diminutivo de "sweet"= dulce; (coloquial) expresión de cariño.

Audrey	*Comerla. ¿A qué te refieres? Voy a ponérmela.*
Rachel	*Audrey...*
Audrey	*Oh, vamos, Rachel. No va a hacerle daño a este tipo que yo me ponga su medalla. Está muerto. Quizá ya lleva mucho tiempo muerto. ¿Cuándo fue que murió?*
Rachel	*En el setenta y tres. Estaba en Inteligencia, como Jim. Dice aquí que murió en cumplimiento del deber, mientras estaba asignado a San Diego. Tuvo dos turnos en Vietnam. Lo matan en San Diego.*
Audrey	*¿La medalla es por Vietnam?*
Rachel	*Ajá.*
Audrey	*¿Cómo se llamaba?*
Rachel	*Harlan Errickson.*
Audrey	*¿En serio? Déjame ver eso. "Lo sobrevive su padre, Warren Errickson..." Bueno, él murió hace algunos años. "...y su hermano Marshall, ambos de Lexington". No puedo creerlo. Este es uno de los Errickson.*
Rachel	*¿Los conoces?*
Audrey	*Bueno, no son amigos míos ni nada de eso, pero la hija de Marshall Errickson estuvo en mi clase el año pasado. Quiero decir, sus abuelos prácticamente construyeron este sitio.*
Rachel	*Yo sé quién es. A veces pasa por la estación. ¿Por qué razón regalaría algo como esto?*
Audrey	*Quizá no lo hiciera. Quizá se mezclara con un montón de cosas que él donó. ¿Sabes qué? Se parece un poco a tu Jim.*
Rachel	*No creo. En absoluto.*

Audrey	Eat it. What do you mean? I'm going to wear it.
Rachel	Audrey...
Audrey	Oh, come on, Rachel. It's not going to hurt this guy if I wear his medal. He's dead. Probably has been dead for a long time. When did he die anyway?
Rachel	Seventy-three. He was in Intelligence, like Jim. It says here he died *in the line of duty*[15] while stationed in San Diego. Did two tours in *Vietnam*[16]. Gets killed in San Diego.
Audrey	The medal's from Vietnam?
Rachel	Uh-huh.
Audrey	What was his name?
Rachel	Harlan Errickson.
Audrey	Really? Let me see that. "Survived by his father, Warren Errickson..." Well, he died a few years ago. "...and his brother Marshall, both of Lexington." I don't believe it. This is one of the Erricksons.
Rachel	You know them?
Audrey	Well, they're not friends of mine or anything, but Marshall Errickson's daughter was in my class last year. I mean, her grandparents practically built this place.
Rachel	I know who he is. He comes by the station. Why would he give away something like this?
Audrey	Maybe he didn't. Maybe it just got mixed up with a bunch of things he donated. You know what? This looks a little like your Jim.
Rachel	I don't think so. Not at all.

---

15 in the line of duty: (literal) En línea del deber; = mientras cumplía con su deber de manera oficial.

16 Vietnam: País de Asia, sede de un conflicto entre facciones comunistas y democráticas de 1954 a 1975, en el que participó Estados Unidos.

La última aventura

Rachel escoge la historia de Harlan

Locutor *Esta es la voz de Lexington, KLEX, noventa y ocho en el dial de su radio.*

Karl *Permítame ponerlo en espera un segundo, ¿de acuerdo? Sólo un segundo, ¿sí?*

Rachel *Encontré a alguien para el programa del Día de los Veteranos, Karl.*

Karl *Está bien. De acuerdo. Eh, sólo haz que salga bien, muñeca.*

Cena en casa de los Errickson

Chad *Si no quieres ir, no irás.*

Marshall *¿Piensas que es mejor para ella que todos los días tome hasta caer en el estupor?*

Vera *¡Oh, qué tierno! Le importo, realmente le importo.*

Marshall *Esto es patético. Es una neurótica incoherente y ustedes la alientan.*

Vera *¡Espera un maldito momento! No puedes hablar así de mí delante de mi familia. Si quieres empezar a insultar, se me ocurren unas cuantas palabras mucho peores que neurótica.*

Marshall *Ya es suficiente, Vera.*

Chad *Marshall, ¿alguna vez escuchas nuestra propia y única estación de radio?*

Rachel Chooses Harlan's Story   10:00

Announcer	This is the voice of Lexington, KLEX, ninety-eight on your radio dial.
Karl	Let me *put you on hold*[17] a second, okay? Just a second, right?
Rachel	I found someone for the Veteran's Day show, Karl.
Karl	Okay. All right. Hey, just make it good, doll.

Dinner at the Errickson House   10:15

Chad	If you don't want to go, you're not going.
Marshall	You think it's better for her to drink herself into a stupor everyday?
Vera	Oh, how sweet! He cares, he really cares.
Marshall	This is pathetic. She's a babbling neurotic and you encourage her.
Vera	Just one damn minute! You can't talk about me like that in front of my family. If you want to start calling people names, I can think of some *a hell of*[18] a lot worse than neurotic.
Marshall	That's enough, Vera.
Chad	Marshall, you ever get a chance to listen to our one and only radio station?

---

17 put you on hold: (literal) Ponerlo en aguante; (coloquial)= hacer una pausa mientras espera.
18 a hell of: (literal) Un infierno de; (vulgarismo) se usa para exagerar (un infierno de grande, un infierno peor).

La última aventura

Marshall *No tengo tiempo de escuchar radio, Chad. Tengo algunos naranjales que cuidar, ¿sabes?*

Chad *Sí, bueno, sabes, tal vez querrás hacer algo de tiempo porque tienen una nueva locutora que está haciendo una serie sobre héroes locales.*

Marshall *¿De veras?*

Vera *Oh, sí. Yo la escucho. Es francesa o algo así.*

Chad *Sí. ¿Adivina quién será su próximo héroe local?*

Vera *¡No puede ser Marshall!*

Chad *No, no es Marshall. Es Harlan.*

Marshall *¿Harlan?*

Vera *¿Harlan?*

Marshall *¿Cuándo te enteraste de eso?*

Chad *Ella misma me lo dijo.*

Marshall *¿Por qué eligió a Harlan?*

Chad *Marshall, ¿qué tiene de malo eso?*

Marshall *Nada. Es sólo que me preguntaba quién se lo habrá sugerido, eso es todo. Le pedí a Karl que hablara conmigo sobre todo lo relacionado con la familia, así que lo llamaré en la mañana.*

Vera *¿Por qué no simplemente le pides a Luther que la siga, querido? El es muy bueno para esas cosas.*

Marshall *Bueno, es una buena idea, Vera. Es una idea excelente.*

Vera *Cómete tus ejotes.*

Marshall	[*I*][19] Don't have time to listen to the radio, Chad. I got some orange groves to babysit, you know?
Chad	Yeah, well, you know, you might want to be making some time because they got a new *DJ*[20] who's doing a series on local heroes.
Marshall	Is that right?
Vera	Oh, yeah. I listen to her. She's French or something.
Chad	Yeah. Hey, guess who her next local hero is?
Vera	Not Marshall!
Chad	No, not Marshall. It's Harlan.
Marshall	Harlan?
Vera	Harlan?
Marshall	When did you find that out?
Chad	She told me herself.
Marshall	Why would she choose Harlan?
Chad	Marshall, what is wrong with that?
Marshall	Nothing. It's just I wondered who'd put her up to it, that's all. I asked Karl to clear anything having to do with the family through me and so I'll call him in the morning.
Vera	Why don't you just have Luther follow her, honey? He's real good at that.
Marshall	Well, that's a good idea, Vera. That's an excellent idea.
Vera	Eat your green beans.

---

19 don't: (gramatical) Debe ser " I don't"= yo no...
20 DJ: (coloquial) Forma abreviada de "disc jockey"= la persona que selecciona discos/cintas musicales.

La última aventura

Rachel conoce a Marshall

Trabajador	*Aquí está.*
Rachel	*¿Sr. Errickson?*
Marshall	*Sí.*
Rachel	*¿Tiene un momento?*
Marshall	*Por supuesto.*
Rachel	*Soy Rachel Roux. Tal vez reconozca mi nombre por el número de mensajes que le dejé.*
Marshall	*Pensé que a estas alturas ya se habría dado cuenta de que mi familia y yo realmente no deseamos participar en este perfil suyo, Srta. Roux. Quise mucho a mi hermano. Estábamos muy unidos. Algunas personas, no titubearán en ser crueles, incluso en mentir. Ya hace algún tiempo que mi hermano falleció y prefiero dejarlo que descanse en paz. Puede seguir llamando pero simplemente no estamos disponibles para esto, de manera que espero que respete eso.*

Rachel empieza a investigar

Rachel	*Eres mi salvadora, Audrey.*
Audrey	*Lo sé, soy demasiado buena contigo. ¿Aún irás a los archivos?*
Rachel	*Mañana.*
Audrey	*¿Qué estás mirando? Oh, ésa es Elise Lawler ahora. Aún es hermosa.*
Rachel	*No es su tipo.*

Rachel Meets Marshall   11:56

Worker   Aquí está.

Rachel   Mr. Errickson?

Marshall   Yes.

Rachel   Do you have a moment?

Marshall   Certainly.

Rachel   I'm Rachel Roux. You might recognize my name by the number of messages I've left for you.

Marshall   I would have thought that you would have realized by now that my family and I don't really wish to participate in this profile of yours, Miss Roux. I loved my brother very much. We were close. Some people, they won't hesitate to be cruel, even to lie. Now, my brother has been dead for some time and I prefer to let him rest in peace. You may continue to call, but we're simply not available for this, so I hope that you'll respect that.

Rachel Begins to Investigate   13:10

Rachel   You're a lifesaver, Audrey.

Audrey   I know, I'm too good to you. [*Are*]21 You still going to go to the archives?

Rachel   Tomorrow.

Audrey   What are you looking at? Oh, that's Elise Lawler now. She's still beautiful.

Rachel   She's not his type.

---

21   you still going: (gramatical) Debe ser "are you still going?"= ¿todavía vas a ir?

La última aventura

Audrey *Oh, y siendo una amiga tan íntima de él, tú lo sabrías.*

Rachel *Simplemente no es el tipo de persona que—*

Audrey *Querida, está muerto. Se usa el pasado para referirse a las personas muertas. Ya que hablamos de esto, ¿por qué no vamos al "Three Star"?*

Rachel *¡No! Tengo que trabajar.*

Audrey *¿Cuándo vas a salir a divertirte un poco?*

Rachel *Por primera vez desde que Karl comenzó con este absurdo programa sobre héroes locales estoy entusiasmada con mi trabajo. Esta historia tiene sustancia. La gente no quiere que hable de Harlan Errickson. Cuando hay humo, tiene que haber fuego.*

Prisión estatal de San Quintín, San Quintín, California

Oficial #1 *Tome asiento, Sr. Driscoll.*

Dr. Wishninski *Sr. Driscoll ... parece que existen algunas reservas sobre concederle la libertad condicional. ¿Le molestaría contestar algunas preguntas?*

Harlan *Oh, no.*

Oficial #1 *Sr. Driscoll, usted nunca expresó remordimiento por los delitos que cometió antes de ser encarcelado y, sin embargo, dice estar totalmente rehabilitado. ¿Cómo explica esto?*

Harlan *Tengo una placa de acero en la cabeza. ¿Cómo puedo decir que lo lamento, si no recuerdo lo que hice?*

Oficial #1 *Recuerda otras cosas con bastante facilidad.*

Harlan *Bueno, las cosas van y vienen.*

Audrey	Oh, and you being such a close friend would know this.
Rachel	He's just not the kind of person who'd—
Audrey	Honey, he's dead. We use past tense to talk about dead people. Speaking of which, why don't we go to "Three Star"?
Rachel	No! I've got work to do.
Audrey	When are you going to go out and have some fun?
Rachel	For the first time since Karl started this ridiculous local heroes series, I'm excited about my work. There's substance to this story. People don't want me to talk about Harlan Errickson. *Where there's smoke, there's gotta be fire*[22].

San Quentin State Prison, San Quentin, California 14:10

Officer #1	Sit down, Mr. Driscoll.
Dr. Wishninski	Mr. Driscoll...there seems to be some reservation about granting your parole. Do you mind answering a few questions?
Harlan	Oh, no.
Officer #1	Mr. Driscoll, you've never expressed remorse for the crimes you committed before you were incarcerated here, yet you claim to be completely rehabilitated. How do you explain that?
Harlan	I have a steel plate in my head. How can I say I'm sorry if I don't remember what I did?
Officer #1	You remember other things readily enough.
Harlan	Well, things come and go.

---

22 where there's smoke, there's gotta be fire: (literal) Donde hay humo, hay fuego; (proverbio)= equivalente a "cuando el río suena, piedras lleva".

La última aventura

Dr. Wishninski	*La preocupación de ellos es que usted no pueda desenvolverse con normalidad en la sociedad.*
Oficial #1	*¿Qué ocurrirá cuando olvide las citas con su agente de libertad condicional? ¿Cuando omita llamar a las autoridades correspondientes antes de viajar?*
Harlan	*No lo haré. He sobrevivido aquí dentro durante diecisiete años.*
Oficial #1	*Eso es todo, Sr. Driscoll. Le informaremos sobre nuestra decisión en breve.*
Harlan	*Gracias.*

Harlan es puesto bajo libertad condicional

Willie	*Ahora que sales, ¿a dónde irás?*
Harlan	*No sé.*
Willie	*¡Maldición! Me apena un poco tu situación, Ben. Sin familia, ni parientes. Sin tener adonde ir. Pero, ¿sabes algo, hermano? Aquí siempre habrá una cama para ti si necesitas donde quedarte. Eh, ¿vas a este lugar aquí, Ben?* *¿A este lugar que has estado dibujando?*
Harlan	*¿Livingston?*
Willie	*No, hombre, tú le llamabas Lexington.*
Harlan	*Oh, eso es. Lexington.*
Willie	*¿Por qué no vas a verlo?*
Harlan	*Sí, bueno, debe haber un Lexington en cada estado de la unión.*

Dr. Wishninski Their concern is that you will not be able to function normally in society.

Officer #1 What happens when you forget meetings with your parole officer? Neglect to check in with the proper authorities when you travel?

Harlan I won't. I've survived in here for seventeen years.

Officer #1 That'll be all, Mr. Driscoll. We'll inform you on our decision shortly.

Harlan Thank you.

Harlan is Paroled   15:56

Willie Now that you're getting out, where are you going?

Harlan I don't know.

Willie Damn! I feel kind of sorry for you, Ben. No family, no kin. No place to go. But you know something, *bro*[23]? There's always a bed here if you need a place to stay. Hey, [are] you going to this place here, Ben? This place you *[have]*[24] been drawing?

Harlan Livingston?

Willie No, man, you called it Lexington.

Harlan Oh, that's right. Lexington.

Willie Why don't you *check it out*[25]?

Harlan Yeah, well, there must be a Lexington in every state in the union.

---

23 bro: (coloquial) Forma de "brother"= hermano.
24 been: (gramatical) Debe ser "have been"= que has estado...
25 check it out: (coloquial) Investígalo, revísalo.

Willie   *No con naranjos. Esto tiene que ser en California o en Florida. Dime, ¿qué tienes que perder? A lo mejor tienes familia allí.*

Harlan   *Les voy a dejar ésa a ustedes. Algo para que me recuerden.*

Willie   *¡Ah, sí! Pronto las tendrás de carne y hueso.*

Preso #1   *¡Quédate tranquilo, hombre!*

Preso #2   *Que tengas suerte, hermano. ¡Pórtate bien!*

Guardia   *¡Vamos! ¡Dije que a trabajar!*

El autobús para Lexington

Vendedor de Taquilla   *¿Adónde?*

Harlan   *A Lexington. Ida.*

Vendedor de Taquilla   *Muy bien. Serán cuarenta y dos con cincuenta la ida, señor.*

Harlan   *¿A Los Ángeles?*

Vendedor de Taquilla   A Lexington.

Harlan   *¿Cómo?*

Vendedor de Taquilla   *Lo oí tan claro como el agua. Usted dijo Lexington, señor.*

Willie   Not with orange trees. This has got to be California or Florida. Tell me, what [*have*]²⁶ you got to lose? [*It*]²⁷ could be [*that*]²⁸ you [have] got some [folks]²⁹ there.

Harlan   I'm going to leave that one for you. Something to remember me by.

Willie   Oh, yeah! You'll have the real thing before long.

Inmate #1   *You*³⁰ *be cool* ³¹, man!

Inmate #2   Good luck there, brother. Be good!

Guard   Go on! I said, work!

Bus to Lexington   18:00

Ticket Clerk   Where to?

Harlan   Lexington. One way.

Ticket Clerk   Okay. That's going to be forty-two fifty one way, sir.

Harlan   To Los Angeles?

Ticket Clerk   Lexington.

Harlan   What?

Ticket Clerk   I heard you *plain as day*³². You said Lexington, sir.

---

26 you: (gramatical) Debe ser "have you"; completa a "que tienes que...".
27 could: (gramatical) Debe ser "it could"= podría...
28 you: (gramatical) Debe ser "that you"= que tú...
29 folks: esta palabra también se refiere específicamente a los padres de familia.
30 you: (gramatical) Se debe omitir en este caso; debe ser "be cool..." (vea la nota # 31).
31 be cool: (literal) Se fresco, (coloquial) expresión de despedida.
32 plain as day: (literal) Claro como el día; (coloquial)= equivalente a "claro como el agua".

Harlan	*¿Qué tan lejos estamos de Lexington?*
Vendedor De Taquilla	*Pues, a unas ciento sesenta, ciento sesenta y cinco millas. Con gusto le venderé un boleto a Los Ángeles, si eso es lo que desea.*
Harlan	*No, no, no.*
Vendedor De Taquilla	*Bien. El autobús partirá en unos veinte minutos, señor, ¿de acuerdo? Ahora, aquí tiene su cambio.*
Harlan	*Gracias.*
Vendedor De Taquilla	*Bueno, que disfrute de su viaje.*

El cementerio de Lexington

Potter	*Hace mucho que nadie pone flores en ésa.*
Rachel	*Mi madre siempre decía que las flores hay que regalarlas cuando la persona está viva.*
Potter	*¿No es pariente?*
Rachel	*No. ¿Conocía a Harlan Errickson?*
Potter	*¿Por qué lo pregunta?*
Rachel	*Estoy preparando un programa de radio sobre los héroes locales y pensé en presentar a Harlan.*

Harlan	How far is it to Lexington?
Ticket Clerk	Well, about a hundred and sixty, a hundred and sixty-five miles. I'll be glad to sell you a ticket to L.A. if that's what you'd like.
Harlan	No, no, no.
Ticket Clerk	Okay. [*The*]33 Bus is going to leave in about twenty minutes, sir, okay? Now here's your change.
Harlan	Thanks.
Ticket Clerk	Okay, now, you enjoy your trip.

Lexington Cemetery   18:42

Potter	It's been a long time since anyone put flowers on that one.
Rachel	My mother always said the time to give flowers is when people were alive.
Potter	You *ain't*34 kin?
Rachel	No. Did you know Harlan Errickson?
Potter	What makes you ask?
Rachel	I'm doing a radio show on local heroes and I thought I'd feature Harlan.

---

33   bus: (gramatical) Debe ser "the bus"= el autobús.
34   ain't: (coloquial) Forma de "are not"= no es.

33

Potter   *Ah, entonces, la persona con la que tiene que hablar es Frank Calovich.
El y Harlan estaban muy unidos. Ellos dos e Isaac Rice siempre andaban
juntos. Se hacían llamar "La Banda Salvaje". Sí, como en una película.
Frank es el dueño del negocio de plomería de la zona y a Isaac lo enterré
bajo ese viejo roble la primavera pasada. Sí. Tenía cáncer del pulmón.
Casi siempre se metían en esa cabaña que tenían y cazaban, ¡y luego
andaban gritando y tomando un poco! Bueno, ¡no era nada, en realidad!*

Rachel   *Me gustaría ver esa cabaña.*

Potter   *Bueno, ahora no hay mucho que ver. La última vez que pasé por allí
parecía que las termitas se la estaban comiendo. ¿Por qué no se lo pide
a Frank Calovich? El la llevará allí. Usted pídaselo a él.*

La cabaña en el bosque

Rachel   *¿Qué es?*

Frank   *Es un hierro de marcar. "BS". Es la Banda Salvaje. Así nos hacíamos
llamar. Es raro estar aquí, ¿sabe? Es como estar afuera cuando comienza
a caer la nieve y al principio uno puede distinguir los copos de nieve
con mucha facilidad. Uno por uno. Y luego, sin darte cuenta, la nieve te
tiene cubierto. Todos aquellos buenos tiempos... sólo Harlan y yo.
Pasamos los mejores años de nuestras vidas juntos.*

Rachel   *Novios.*

Frank   *Sabe... Es nuestro banco.
Fue idea de Harlan.*

Rachel   *Mire esto.*

Potter   Oh, well, the one you want to talk to then is Frank Calovich. He and Harlan were real close. The two of them and Isaac Rice were always together. They used to call themselves *"The Wild Bunch."*[35] Yeah, after some movie. Frank owns the local plumbing business and I planted Isaac under that old oak last spring. Yeah. He had lung cancer. Mostly, they just *holed up*[36] in that cabin of theirs and they hunted and they hollered and they drank some! Well, it *wasn't*[37] nothing, really!

Rachel   I'd like to see that cabin.

Potter   Well, there's not much to see now. Last time I went by it looked as if the termites were eating away at it. Why don't you ask Frank Calovich. He'll take you there. You ask him.

The Cabin in the Woods   20:10

Rachel   What is it?

Frank   It's a branding iron. "WB." It's the Wild Bunch. That's what we called ourselves. You know, it's kind of weird being in here. It's like being outside when the snow starts to fall and at first you can pick out the flakes real easy. One at a time. And then, before you know it, you're covered. All those good times. Just Harlan and me, we spent the best years of our lives together.

Rachel   *Sweethearts*[38].

Frank   You know... It's our bank.
It was Harlan's idea.

Rachel   Look at this.

---

35 the wild bunch: (literal) El grupo salvaje; (coloquial)= grupo de rebeldes.

36 holed up: (literal) Metidos en un hoyo; (coloquial)= refugiarse (como los animales).

37 wasn't: (gramatical) Debe ser "was"= era; no se puede usar "no" antes de "nothing" en inglés, pues se cancelarían las dos negativas mutuamente.

38 sweethearts: (literal) Corazones dulces; (coloquial)= novios, enamorados.

35

Frank	*Eso pertenecía a la mamá de Harlan. Cuando ella murió, lo heredó él. Lo guardaba aquí para que Marshall no se lo quitara. Esos dos tuvieron algunos problemas después de que su mamá murió. Creo que él siempre quiso que Elise lo tuviera.*
Rachel	*Bueno, entonces ella debería tenerlo. ¿Quiere dárselo?*
Frank	*Oh, no, nosotros más o menos perdimos contacto. Lléveselo usted. Desde que puedo acordarme, esa familia ha usado a cada hombre, mujer y niño de este pueblo, desde el día que pusieron la primera piedra angular en su primer edificio.*
Rachel	*¿Cree que Harlan podría haber cambiado todo eso?*
Frank	*No sé. Tal vez. Bueno, si no se hubiera quedado en la Armada y...*
Rachel	*¿Alguna vez habló sobre la vez que lo hirieron?*
Frank	*No, nunca hablaba de la guerra.*
Rachel	*¿Ustedes dos estuvieron juntos esa última noche antes de que regresara? Verá, me gustaría describir el estilo de cosas que un tipo hace cuando sabe que va a estar lejos de su familia, de su hogar, por mucho tiempo. Tratar de imaginar lo que le pasa por la mente.*
Frank	*El y Elise ya estaban comprometidos por entonces. Nosotros todavía nos las ingeniábamos para reunirnos, sin embargo. Sólo nos divertíamos un poco. Elise estaba trabajando, así que nos fuimos a Sacramento.*

Frank   That belonged to Harlan's mom. After she died, it went to him. He kept it out here so Marshall wouldn't take it. Those two had some troubles after their *momma*[39] died. I think he always meant for Elise to have this.

Rachel   Well, then she ought to have it. Do you want to give it to her?

Frank   Oh, no, we sort of *lost touch*[40]. You take it. As long as I can remember, that family has used every man, woman and child in this town, from the time they put their first cornerstone on their first building.

Rachel   You think Harlan might have changed all that?

Frank   I don't know. Maybe. Well, if he hadn't stayed in the Navy and...

Rachel   Did he ever talk about the time that he was wounded?

Frank   No, he never talked about the war.

Rachel   Did you two get together that last night before he went back? See, I'd like to describe the kind of things a guy does when he knows he's going to be away from his family, his home, a long time. Try to get to what goes through his head.

Frank   He and Elise were engaged by then. We still managed to get together, though. We just *partied*[41] a little. Elise was working, so we went to Sacramento.

---

39   momma: (coloquial) Forma de "mother"= madre.
40   lost touch: (literal) Perdimos toque (de Tocar); (coloquial)= dejamos de tener contacto, nos distanciamos.
41   partied: (literal) Fiestamos; (coloquial)= nos fuimos de fiesta/ de parranda.

La última aventura

Rachel anuncia el perfil de Harlan

Rachel *Buenos días, a nuestros amigos en el país de la radio. Les habla Coyote, hoy con algo diferente sobre la serie acerca de nuestros héroes locales. En honor del Día de los Veteranos que se aproxima, les presentaremos una serie de una semana de duración sobre la vida, corta pero significativa, de un joven que fue asesinado misteriosamente mientras trabajaba en una operación de Inteligencia de la Armada en San Diego, en 1973.*

Harlan llega a Lexington

Murphy *Oh, ¿dirección anterior, San Quintín? No sabía que estaba tratando con un ex presidiario.*

Harlan *Pero hicimos un trato. Le di buen dinero en efectivo.*

Murphy *No tiene que decírmelo. Las llaves están puestas.
Aquí tiene su registro.*

Harlan *Gracias*

Murphy *Amigo, permítame darle un consejo. No se moleste en detenerse aquí, en Lexington. Aquí tenemos un Comisario a quien no le gustan los problemas.*

La oficina del Comisario

Marshall *Chad, Addie me llamó a los naranjales. Tu hermana se fue otra vez. Quiero que vayas a la casa. Quiero que veas los resultados de tus mimos.*

Chad *Te diré algo, Marshall. Tal vez si pasaras un poco más de tiempo en casa, mi hermana no tendría por qué escaparse.*

Rachel Announces Harlan's Profile   23:40

Rachel Good morning, friends out there in radio land. This is Coyote coming to you today with a departure in our local heroes series. In honor of the upcoming Veteran's Day, we will be giving you a week-long account on the short, but meaningful life of a young man who was mysteriously killed while working in a Naval Intelligence operation in San Diego in 1973.

Harlan Arrives in Lexington   24:06

Murphy Oh, previous address San Quentin? I didn't know I was dealing with an ex-con.

Harlan But we shook hands on it. I gave you good cash money.

Murphy You don't gotta tell me that. [the] Keys are in it. There's your *pink slip*[42].

Harlan Thanks.

Murphy Friend, let me give you some advice. Don't bother stopping here in Lexington. We've got a Sheriff here who doesn't like trouble.

The Sheriff's Office   25:06

Marshall Chad, Addie called me down at the grove. Your sister's *gone off*[43] again. I want you to go down to the house. I want you to take a look at the results of your coddling.

Chad I'll tell you what, Marshall. Maybe [*if*][44] you spend a little more time at home, my sister wouldn't have to go running off.

---

42 pink slip: (literal) hoja rosada;= registro de un vehículo.
43 gone off: (literal) Se fue; (coloquial) salió a deambular.
44 you: (gramatical) Debe ser "If you"= si... (condicional).

La última aventura

Marshall	*¿Quién era el tipo que acaba de salir de aquí, Spud?*
Comisario	*Se llama Driscoll. Ben Driscoll. Acaba de salir bajo libertad condicional.*
Marshall	*Oh, qué bien. ¿Conque ahora entretenemos a convictos aquí en Lexington?*
Comisario	*Mira, Marshall, tiene derechos, igual que todos nosotros.*
Marshall	*¿Sabes algo, Spud? Me caías mejor antes de que empezaras a creer en toda esta basura del servicio público. Aquí tienes. Esto es para ti. Para la beneficencia. Asegúrate de que en la lista de donantes diga "Sr. y Sra. Marshall Errickson".*
Comisario	*No hay problema.*
Marshall	*No dije cuando te venga bien, Chad.*
Luther	*Nos vemos, muchachos.*

Rachel conoce a Elise

Hombre #1	*Hola, Audrey.*
Audrey	*Hola, Terry.*
Terry	*¡Hola, muchachas!*
Audrey	*¿Cómo estás?*
Terry	*Adelante.*
Audrey	*Oh, gracias, Terry.*
Terry	*Encuentren una mesa atrás. Enseguida estoy con ustedes.*
Audrey	*De acuerdo, muy bien. Gracias.*
Rachel	*Gracias.*

Marshall	Who was that guy who just walked out of here, *Spud*[45]?
Sheriff	His name is Driscoll. Ben Driscoll. He just got paroled.
Marshall	Oh, that's good. We're entertaining convicts here in Lexington now, huh?
Sheriff	Now, Marshall, he's got rights just like the rest of us.
Marshall	You know, Spud, I liked you better before you started believing all this public service crap. There you go. That's for you. For the benefit. Make sure that the donor list says "Mr. and Mrs. Marshall Errickson."
Sheriff	No problem.
Marshall	I didn't mean at your convenience, Chad.
Luther	*'See you*[46], guys.

Rachel Meets Elise   26:19

Man #1	Hi, Audrey.
Audrey	Hi, Terry.
Terry	Hey, girls!
Audrey	How are you?
Terry	Come on in.
Audrey	Well, thanks, Terry.
Terry	Find a table in back. I'll be right with you.
Audrey	Okay, great. Thanks.
Rachel.	Thank you.

---

45   spud: (literal) Papa, patata; En este caso es el apodo del comisario.
46   'see you: (coloquial) Forma de "I will see you"= los veré, nos vemos.

La última aventura

Audrey   *Demasiado bonita para ser la esposa de un reverendo, ¿no? Esa es Elise Lawler.*

Rachel   *Es bonita. Necesito hablar con ella.*

Chad   *¿Cómo te va, Audrey?*

Audrey   *Hola, Chad. ...Hola, Tommy. ¿Ya convertiste a todos los pecadores?*

Tommy   *No, siempre hay algunos casos difíciles que se resisten, Audrey. ¿Cuándo vendrás a la iglesia?*

Audrey   *Nunca se sabe. Tommy, Elise, quiero presentarles a Rachel Roux.*

Rachel   *Hola. Hola.*

Tommy   *¿No se sientan?*

Rachel   *Gracias.*

Audrey   *Oh, gracias.*

Tommy   *Mi esposa y yo teníamos intención de pasar a darle la bienvenida a nuestra comunidad. ¿Cómo la están tratando en la estación de radio?*

Rachel   *Bien, gracias.*

Tommy   *Bueno, es hora del ensayo del coro. Espero que me disculpen. Espero verte en la iglesia.*

Elise   *No parezco exactamente feliz de verla, Srta. Roux, pero la verdad es que no lo estoy. Oí hablar del perfil que está preparando. He llorado por Harlan Errickson por más tiempo del que he querido y la verdad es que no quiero que me obligue a sacar a la superficie recuerdos dolorosos.*

Audrey   *Vamos, Elise. Han pasado diecisiete años.*

Elise   *¿Qué quiere saber?*

Rachel   *Usted y Harlan eran novios.*

Audrey   Too pretty to be a minister's wife, huh?
That's Elise Lawler.

Rachel   She is pretty. I need to talk to her.

Chad   How are you doing, Audrey?

Audrey   Hi, Chad. ...Hi, Tommy.
Converted all the sinners yet?

Tommy   No, there's always a few hard cases that *hold out*[47], Audrey. When are you coming to church?

Audrey   You never know. Tommy, Elise, I'd like you to meet Rachel Roux.

Rachel   Hello. Hello.

Tommy   Won't you sit down?

Rachel   Thank you.

Audrey   Oh, thanks.

Tommy   My wife and I have been meaning to stop by and welcome you to the community. How are they treating you at the radio station?

Rachel   Fine, thanks.

Tommy   Well, it's time for choir practice. I hope you'll excuse me. [I] Hope to see you at church.

Elise   I don't look exactly happy to see you, Miss Roux, but the truth is, I'm not. I heard about the profile that you're doing. I've mourned Harlan Errickson as long as I care to and I really don't want to be forced to dig up painful memories.

Audrey   Come on, Elise. It's been seventeen years.

Elise   What do you want to know?

Rachel   You and Harlan were sweethearts.

---

47 hold out: (literal) Se agarran, aguantan; (coloquial)= no son fáciles de convencer.   **43**

La última aventura

Elise   *Harlan y yo crecimos juntos. Eramos novios desde antes de aprender a hablar. Todos esos años son sólo un recuerdo borroso.*

Rachel   *Frank Calovich y yo encontramos esto en la cabaña.*

Elise   *Oh. Era de la madre de Harlan. Supongo que Vera debería tenerlo ahora. Puedo dárselo, si quiere.*

Rachel   *Oh, gracias. Me siento algo responsable de él. Pero le agradeceré que le diga que yo lo tengo. Los Errickson no han aceptado ninguna de mis llamadas.*

Elise   *Claro. Usted sabe cómo se cazan zarigüeyas, ¿no es cierto, Srta. Roux? Discúlpeme. Tengo que irme.*

Rachel   *Una cosa más. Por favor. Tengo curiosidad sobre el último permiso de Harlan.*

Elise   *¿Qué quiere saber?*

Rachel   *¿Qué hicieron esa última noche, antes de que él volviera a partir? Frank Calovich no quiso hablar de ello.*

Elise   *Bueno, Frank no estuvo con Harlan esa noche. Yo tenía que trabajar, de manera que Harlan pasó la noche con su familia.*

Rachel   *Frank dijo que él y Harlan fueron a Sacramento.*

Elise   *Bueno, tal vez lo hicieran. No sé. Mire, como puede ver, Srta. Roux, soy una mujer felizmente casada y no quiero que ninguna historia antigua sobre Harlan y yo cambie eso.*

Rachel   *¿Por qué cree que los Errickson regalaron el Corazón Púrpura de Harlan?*

Elise   Harlan and I grew up together. We were *an item*[48] before we learned to talk. All those years are just a blur.

Rachel   Frank Calovich and I found this at the cabin.

Elise   Oh. That was Harlan's mother's. I guess Vera should have it now. I could give it to her if you want.

Rachel   Oh, thanks. I feel sort of responsible for it. I would appreciate it if you'd tell her I have it, though. The Erricksons haven't *been taking any of my calls*[49].

Elise   Sure. You know everything about *smoking out possums*[50], don't you, Miss Roux? Excuse me. I've gotta go.

Rachel   One more thing. Please. I'm curious about Harlan's last leave.

Elise   What about it?

Rachel   What did you do that last night before he went back? Frank Calovich didn't want to talk about it.

Elise   Well, Frank wasn't with Harlan that night. I had to work, so Harlan spent the night with his family.

Rachel   Frank said he and Harlan went to Sacramento.

Elise   Well, maybe they did. I don't know. Look, as you can see, Miss Roux, I'm a happily married woman and I don't want any old stories about Harlan and me changing that.

Rachel   Why do you think the Erricksons gave away Harlan's *Purple Heart*[51]?

---

48 item: (literal) Un artículo; (coloquial)= una pareja romántica.
49 been taking any of my calls: (literal) tomado ninguna de mis llamadas; = no han querido hablar conmigo cuando llamo por teléfono.
50 smoking out possums: (literal) Sacar zarigüeyas de su guarida usando humo; (coloquial) investigar y sonsacar datos a fondo.
51 purple Heart: (literal) Corazón Púrpura; = condecoración militar por recibir una herida durante una batalla.

Elise *No fueron ellos. Fui yo. Cuando estaba buscando cosas para donar a la feria, lo encontré y pensé que sería más útil allí que llenándose de polvo en el ático.*

Rachel *¿No se le ocurrió devolvérselo a su familia?*

Elise *Oh, vamos. Usted ya debe saber cómo se sentía Marshall con respecto a su hermano Harlan. Srta. Roux. Audrey.*

Rachel *Me pregunto por qué habrá mentido sobre esa última noche.*

Una visita de Vera

Rachel *Parece que usted era una gran admiradora de Harlan. ¿Podré hablar con usted en persona? Hogar para ancianos Tyler. La veo entonces. Gracias.*

Vera *Hola, soy Vera.*

Rachel *Adelante.*

Vera *La mayoría de los días no estoy mejor que esto.*

Rachel *¿Desea sentarse?*

Vera *Oh, no, no, no. No puedo quedarme mucho tiempo. Elise llamó y dijo que usted tenía el collar.*

Rachel *Está arriba. Se lo traeré.*

Vera *Dios santo, Vera, eras igual de fea entonces.*

Rachel *Su nombre era Jim.*

Vera *Es mi tipo.*

Rachel *A Elise le pareció que usted debería tenerlo.*

Vera *En realidad, no soy una mala persona.*

Elise	They didn't. I did. When I was looking for things to donate to the bazaar, I found it and I figured it would do more good there than gathering dust in the attic.
Rachel	Didn't it occur to you to give it back to his family?
Elise	Oh, come on. You must know by now how Marshall felt about his brother Harlan. Miss Roux. Audrey.
Rachel	I wonder why she lied about that last night.

A Visit from Vera 30:18

Rachel	Sounds like you were a great fan of Harlan's. Would it be possible to meet you in person? Tyler Nursing Home. I'll see you then. Thank you.
Vera	Hi, I'm Vera.
Rachel	Come on in.
Vera	This is as good as I get most days.
Rachel	Do you want to sit down?
Vera	Oh, no, no, no. I can't stay long. Elise called and said you had the necklace.
Rachel	It's upstairs. I'll get it for you.
Vera	God, Vera, you were just as ugly then.
Rachel	His name was Jim.
Vera	My type.
Rachel	Elise thought you should have it.
Vera	I'm not really a bad person.

Rachel   *Muy pocas personas lo son. ¿Estaría usted dispuesta a responder algunas preguntas sobre Harlan mientras está aquí?*

Vera   *Encontraría más información en los libros que tiene allí. Harlan y yo no veníamos exactamente del mismo gallinero.*

Rachel   *Pero usted está casada con su hermano.*

Vera   *Marshall, él era un extraño tanto como yo lo era. Los amigos de Harlan lo invitaban a sus fiestas y le hacían un sitio en la mesa, pero sólo porque era el hermano de Harlan, no porque les agradara. Ellos pensaban que era un imbécil. Recordando aquella época, supongo que sí era un imbécil. El se sentía más a gusto, usted sabe, con gente como yo. Gente a la que podía impresionar con su dinero. Mire, Marshall se pone muy violento con gente que hace cosas que a él no le gustan. ¿Puedo darle un consejo? Marshall tiene mucha influencia en este pueblo. Y si decide amordazarla, encontrará alguna forma de hacerlo.*

Rachel   *No me gusta cuando la gente intenta decirme lo que tengo que hacer. En todo caso me vuelve más decidida. Sé que hay mucha gente molesta porque encontré ese Corazón Púrpura, pero lo encontré. Y hay una historia ahí y estoy decidida a sacarla a la luz. No me doy por vencida fácilmente.*

Vera   *Tiene mucho que aprender sobre cómo funcionan las cosas en este pueblo. Sólo cuídese. Adiós.*

Rachel   *Adiós.*

Rachel   Oh, few people are. Would you be willing to answer a few questions about Harlan while you're here?

Vera   You'd find more in your books over there. Harlan and I didn't exactly come from the *same side of the tracks*[52].

Rachel   But you're married to his brother.

Vera   Marshall, he was just as much an outsider as I was. Oh, Harlan's crowd used to invite him to their parties and make room for him at the lunch table, but that was because he was Harlan's brother, not because they liked him. They thought he was a jerk. Looking back, I guess he was a jerk. He just felt more comfortable, you know, with people like me. People he could impress with his money. Look, Marshall, he gets really ugly when people do things he doesn't like. Can I give you some advice? Marshall has an awful lot of clout in this town. And if he decides to *muzzle you*[53], he'll find some way to do it.

Rachel   I don't like it when people try to tell me what to do. If anything, it gets me even <u>more</u> determined. I know there's a lot of people upset with me finding that Purple Heart, but I did. And there's a story there and I intend to dig it out. I don't give up easily.

Vera   You [have] got a lot to learn about how things work in this town. Just *watch your back*[54].'Bye[55].

Rachel   'Bye.

---

52   Same side of the tracks: (literal) Mismo lado de la carrilera del tren; (coloquial) referente a ser de distinta clase social (en algunos pueblos, los barrios eran divididos por los carriles del tren: ricos a un lado, pobres al otro).
53   Muzzle you: (literal) Ponerle un bozal; (coloquial)= hacer callar a alguien.
54   Watch your back: (litoral) Cuídese la espalda; (coloquial)= cuidarse de algún peligro/ ataque sorpresa.
55   'Bye: (coloquial) Forma de "good-bye"= adiós, hasta luego.

La última aventura

Marshall encuentra a Vera

Marshall   *¡Vera!*

Vera   *Tú...*

Marshall   *¡Vera!*

Vera   *¿Qué estás haciendo aquí?*

Marshall   *Bueno, ¿qué estás haciendo **tú** aquí, además de hacerme la vida más difícil, como de costumbre?*

Vera   *¿Cómo supiste que estaba aquí?*

Marshall   *Addie me lo dijo.*

Vera   *Oh.*

Marshall   *¿Estás bien? ¿Por qué estás haciendo esto? No quiero que vengas aquí. ¿Está claro?*

Vera   *¿Por qué?*

Marshall   *No me preguntes por qué, simplemente no vengas aquí. Ahora vámonos.*

Vera   *Eres tan malo conmigo, ¿sabes? Harlan, él nunca fue malo conmigo.*

Marshall   *¡No quiero que hables sobre Harlan, ni conmigo ni con nadie!*

Vera   *¡No me digas qué debo hacer! ¡Ya basta! ¡Basta! ¡Ya basta!*

Marshall Finds Vera   33:56

Marshall	Vera!
Vera	You...
Marshall	Vera!
Vera	What are you doing here?
Marshall	Well, what are <u>you</u> doing here besides making my life more difficult, as usual?
Vera	How did you know I was here?
Marshall	Addie told me.
Vera	Oh.
Marshall	Are you all right? Why are you doing this? I don't want you coming here. Is that understood?
Vera	Why?
Marshall	Don't ask me why, just don't come here. Now, come on.
Vera	You're so mean to me, you know? Harlan, he was never mean to me.
Marshall	I don't want you talking about Harlan, either to me or to anyone else!
Vera	Don't tell me what to do! Stop it! Stop! Stop it!

La última aventura

El asilo de ancianos

Nellie   *Yo no cocinaba. No, yo solía coser para la Sra. Errickson. Esa es la mamá de Harlan. No la mujer a la que llaman la Sra. Errickson ahora.*

Rachel   *Murió en el cincuenta y nueve, ¿no?*

Anciana   *No, siempre pensé que Sarah Errickson había muerto en mil novecientos sesenta, justo después de que ampliaran la escuela.*

Nellie   *No, fue justo antes.*

Anciana   *Bueno, supongo que tú conocías a Sarah Errickson mejor que la mayoría de la gente pues tú trabajaste para ella, pero el resto de nosotros, teníamos suerte si nos daba la hora.*

Hombre en Silla de Ruedas   *Pero antes de que haga quedar a Harlan como un santo, tendría que ver lo que Bill Hayes tiene que decir sobre Cindy Roper.*

Rachel   *¿Quién es Cindy Roper?*

Nellie   *Cindy Roper era la prostituta del pueblo. Harlan acostumbraba a salir con ella de vez en cuando. Y Bill Hayes era el Comisario entonces. Si alguien puede contarle algo sobre eso, tiene que ser él.*

Rachel   *¿Bill Hayes? Bueno, gracias a todos por su tiempo.*

The Nursing Home   34:56

Nellie   I didn't do *no*[56] cooking. No, I used to sew for Mrs. Errickson. That's Harlan's mother. Not the woman they call Mrs. Errickson now.

Rachel   She died in fifty-nine, didn't she?

Old Woman   No, I always thought that Sarah Errickson died in nineteen sixty right after they finished putting that addition on the school.

Nellie   No, it was just before.

Old Woman   Oh, well, I guess you knew Sarah Errickson more than most people since you worked for her, but for the rest of us, we were lucky to *get the time of day*[57].

Wheelchair Man   But before you go setting up Harlan as a saint, you ought to see what Bill Hayes has to say about Cindy Roper.

Rachel   Who is Cindy Roper?

Nellie   Cindy Roper was the town whore. Harlan used to go out with her now and again. And Bill Hayes, he used to be the Sheriff. Now if anyone's going to tell you about it, it ought to be him.

Rachel   Bill Hayes? Well, thank you all for your time.

---

56   no: (gramatical) Debe ser "any", que se usa después de una negación.
57   get the time of day: (literal) Si nos daba la hora del día; (coloquial)= referente a ignorar/tratar a otro(s) con arrogancia.

La última aventura

Hombre en Silla de Ruedas *Bueno, si quiere hablar sobre un verdadero héroe, déjeme que le cuente sobre mi hijo. Lo mataron durante la Ofensiva Tet. Sí, Jeremy Sterling, cabo primero.*

Rachel *Lo tendré presente.*

Hombre en Silla de Ruedas *Sí.*

Rachel *Gracias. Adiós.*

Hombre en Silla de Ruedas *Adiós.*

Anciano *Adiós.*

Anciana *Adiós.*

El restaurante "Three Star"

Rachel *Hoy es el segundo día de mi perfil sobre nuestro Harlan Errickson de Lexington. Ningún miembro de la familia Errickson ha estado disponible para una entrevista. ¿Tienen algo que ocultar?*

Irma *Ese comentario no va a quedar así.*

Harlan *Buenos días.*

Irma *Hola. ¿Qué le sirvo?*

Harlan *Un café.*

Luther *Escuche, vagabundo, ¿cuánto tiempo piensa quedarse por estas partes?*

**Wheelchair
Man** Well, if you want to talk about a real hero, let me tell you about my son. He was killed in the *Tet Offensive*[58]. *Yep*[59], Jeremy Sterling, *private first class*[60].

Rachel I'll keep it in mind.

**Wheelchair
Man** Yeah.

Rachel Thank you. 'Bye.

**Wheelchair
Man** 'Bye.

Old Man 'Bye.

Old Woman 'Bye.

The "Three Star" Restaurant   36:20

Rachel Today is the second day of my profile of Lexington's own Harlan Errickson. No one in the Errickson family has been available for an interview. Do they have something to hide?

Irma She's not going to get away with that one.

Harlan 'Morning.

Irma Hi. What'll it be?

Harlan Coffee.

Luther Hey, drifter, how long [are] you planning on staying around these parts?

---

58 Tet Offensive: La Ofensiva Tet;= campaña militar norvietnamita en Vietnam del Sur que empezó durante Tet, el año nuevo lunar, el 30 de enero de 1968. Aunque el ataque de tres semanas fue un fracaso militar, su impacto cambió la opinión pública en EE.UU. en contra de la participación en este conflicto (ver # 16).

59 yep: (coloquial) Forma de "yes"= sí.

60 private first class:= Rango militar equivalente a cabo.

La última aventura

Harlan	*No sé. ¿Por qué, he hecho algo malo?*
Luther	*Todavía no.*
Chad	*Vamos, Luther, marchémonos. Ande con cuidado, ¿está claro?*
Irma	*Pues, ¿de dónde viene?*
Harlan	*Del norte.*
Irma	*¿Puedo servirle algo más?*
Harlan	*Huevos revueltos.*
Locutor	*A continuación, más de la historia de Harlan Errickson con Coyote en KLEX noventa y ocho.*

Rachel pide ayuda

Chad	*¿Qué cuentas, John?*
Posadero	*Chad, ¿cómo estás, muchacho?*
Chad	*Hola, amigo, no trabajes demasiado.*
Posadero	*¿Estás bien?*
Chad	*Estoy bien.*
Rachel	*La historia de Harlan es la de un hombre complejo. Nombre completo: Harlan Eugene Errickson. Hijo de Warren y Sarah Errickson. Llegó al mundo el veinticinco de septiembre. Si alguno de ustedes allá afuera tiene pensamientos o recuerdos de Harlan necesito que los compartan conmigo. Por favor, llámenme. Mi número es cinco, cinco, cinco, seis, cuatro, cinco, ocho. Esta historia no es sólo sobre Harlan...*

Harlan	I don't know. Why, have I done something wrong?
Luther	Not yet.
Chad	Come on, Luther, let's go. Just *watch your step*[61], you hear?
Irma	So...Where [are] you from?
Harlan	Up north.
Irma	Can I get you anything else?
Harlan	Scrambled eggs.
Announcer	Coming up, more on the Harlan Errickson story with Coyote on KLEX ninety-eight.

Rachel Asks for Help   37:41

Chad	What [do] you say, John?
Inn Keeper	Chad, how [are] you doing, boy?
Chad	Hey, *buddy*[62], don't work too hard.
Inn Keeper	[Are] you doing all right?
Chad	I'm fine.
Rachel	Harlan's is a story of a complex man. Full name: Harlan Eugene Errickson. Son of Warren and Sarah Errickson. He arrived on September twenty-fifth. If any of you out there have thoughts or memories about Harlan, I need you to share them with me. Please call me. My number is five-five-five, six-four-five-eight. This story isn't just about Harlan...

---

61 watch your step: (literal) Cuide sus pasos; (coloquial)= esté alerta de no causar problemas.
62 buddy: (coloquial) Forma de "friend"= amigo.

Marshall descubre el collar

Marshall *Buenos días a todos. Pensé que no íbamos a escuchar esto. Buenos días, cariño. Me tomaré un café. Sí, gracias, Addie.*

Vera *Ah, sería bueno que llamaras para decir que no llegarás a casa a la hora que te esperamos.*

Marshall *¿Por qué será que cada vez que llego a casa tienes algún comentario que hacer sobre dónde he estado, o con quién o lo que sea? Addie, ¿nos disculpas por sólo un momento, por favor? Gracias.*

Vera *Addie, ¿podrías preparar un poco más de café, por favor? Estoy sin beber una gota. Es tan divertido como hacerse el haraquiri.*
"Estoy muy orgulloso de ti, Vera".

Marshall *Sí estoy orgulloso de ti, querida. Creo que es maravilloso. Creo que es simplemente fantástico.*

Vera *¿Tu secretaria no puede comer una vez sola?*

Marshall *¿Dónde encontraste ese collar?*

Vera *¿Este?*

Marshall *Sí.*

Vera *Fui a casa de Rachel Roux ayer. Ella me lo dio.*

Marshall *¿Tenías algo que decirle?*

Vera *Es un secreto.*

Marshall *Pero, ¿le dijiste algo? ¿Le contaste algo?*

Vera *Es un secreto.*

Marshall Discovers the Necklace   38:20

Marshall   Good morning, everyone. I thought we weren't going to listen to this. 'Morning, sweetheart. I'll have some coffee. Yes, thank you, Addie.

Vera   Oh, it would be nice if you'd call and say you won't be home when we expect you.

Marshall   Why is it that every time I come home, you have a comment to make about where I've been or who I've been with or whatever? Addie, would you excuse us for just a moment, please? Thank you.

Vera   Addie, could you make some more coffee, please? I'm going *cold turkey*[63]. It's about as much fun as committing hara-kiri. "I'm very proud of you, Vera."

Marshall   I <u>am</u> proud of you, sweetheart. I think it's wonderful. I think it's just terrific.

Vera   Can't your secretary eat a meal by herself?

Marshall   Where'd you find that necklace?

Vera   This?

Marshall   Yeah.

Vera   I went to Rachel Roux's yesterday. She gave it to me.

Marshall   Did you have something to say to her?

Vera   It's a secret.

Marshall   But did you say anything to her? Did you tell her anything?

Vera   It's a secret.

---

63 cold turkey: (literal) Pavo frío; (coloquial)= dejar un vicio de golpe, en vez de aminorar la dosis gradualmente.

La última aventura

Marshall   *¿Me darías eso, querida? Vamos, querida. Dámelo. ¿Está bien?*

Vera   *Ella lo encontró en la cabaña. Sólo pasé por allí a recogerlo, eso es todo.*

Marshall   *No quiero que hables con Rachel Roux ni con nadie sobre esta familia. ¿Está claro?*

Vera   *No me amenaces. Está todo escrito.*

Rachel sin saberlo conoce a Harlan

Karl   *Rachel, querida. ¡Qué bueno que te pasaras por aquí! Sales al aire en más o menos cinco minutos. Escucha, hay un tipo llamado Ben Driscoll sentado en la recepción. Hace como una hora que espera. Dice que conoció a Harlan Errickson.*

Rachel   *Karl, escúchame. Debo hablar contigo de una cosa.*

Karl   *¿Te das cuenta del tipo de respuesta que estás teniendo? Es decir, nunca he visto nada semejante. Todos querían a este tipo.*

Rachel   *Sí, bueno, eso está bien. Tal vez, pero estoy descubriendo cosas que —*

Karl   *Cariño, no me importa si descubriste que votó por los Demócratas. Empezamos a tener una buena audiencia. Ahora tienes que mantenerla. Aunque tengas que inventarte al tipo de nuevo. Ahora, ponle marcha.*

Rachel   *¿Cómo se llama? ¿Ben Driscoll?*

Karl   *Sí, así es. Vamos, estás en el aire.*

Locutor   *...Noventa y ocho. Pronóstico: parcialmente nublado hoy y mañana. Temperaturas máximas en los sesenta. Ahora estamos a setenta y cinco y el tiempo está hermoso.*

Marshall	Would you give me that, sweetheart? Come on, sweetheart. Give it to me. Okay?
Vera	She found it in the cabin. I just went by to get it, that's all.
Marshall	I don't want you talking to Rachel Roux or to anyone about this family. Is that understood?
Vera	Don't threaten me. It's all written down.

Rachel Unknowingly Meets Harlan 40:27

Karl	Rachel, sweetheart. Nice of you to *drop by*[64]. You're on in about five minutes. Listen, there's a guy named Ben Driscoll sitting out in reception. He's been waiting for about an hour. Says he knew Harlan Errickson.
Rachel	Karl, Listen, I must talk to you about something.
Karl	Don't you realize the kind of response you're getting? I mean, I've never seen anything like it. Everybody loved this guy.
Rachel	Yeah, right, that's good. Maybe, but I'm finding out things that—
Karl	Honey, I don't care if you find out he voted *Democratic*[65]. We're starting to get some ratings here. *Now keep it up*[66]. Even if you have to re-invent the guy. Now get going.
Rachel	What's his name? Ben Driscoll?
Karl	Yeah, that's right. Come on, you're on the air.
Announcer	...Ninety-eight. Weather: Partly cloudy today and tomorrow. *Highs* [67] in the *sixties* [68]. Right now it's *seventy-five*[69] and beautiful.

---

64 drop by: (literal) Caer por aquí; (coloquial)= visitar.
65 democratic:= Partido político en los EE.UU.
66 keep it up: (literal) Mantenlo arriba; (coloquial)= continúa de la misma manera.
67 highs: (literal) Altas; (coloquial) referente a las temperaturas más altas del día.
68 sixties: (literal) Los sesenta; = referente a la temperatura en grados Fahrenheit (ver nota # 4).
69 seventy-five: (literal) Setenta y cinco;(ver nota # 68).

61

Rachel	*¿Sr. Driscoll?*
Harlan	*¿Sí?*
Rachel	*Soy Rachel Roux.*
Harlan	*Encantado de verla.*
Rachel	*Karl me dijo que usted conoció a Harlan Errickson.*
Harlan	*¿Yo dije eso? Bueno, yo no sé realmente si lo conocí o no. Esperaba que tal vez usted pudiera ayudarme.*
Rachel	*¿Ayudarlo? ¿De qué manera?*
Harlan	*No estoy seguro.*
Rachel	*Sr. Driscoll, en este momento no tengo tiempo para ayudarlo con su problema. Tengo que irme. Realmente, lo lamento.*
Harlan	*Está bien.*
Rachel	*Tal vez podamos hablar más tarde. ¿Digamos en el "Three Star" alrededor de las siete de la noche?*
Harlan	*Está bien.*
Rachel	*Lo veo allí.*
Técnico	*A las cinco, cuatro, tres, dos...*
Rachel	*Hola, a los amigos que nos escuchan ahí en el país de la radio. Les habla Coyote desde KLEX-FM, noventa y ocho en su dial.*

Rachel	Mr. Driscoll?
Harlan	Yes?
Rachel	I'm Rachel Roux.
Harlan	[It is] Nice to see you.
Rachel	Karl tells me you knew Harlan Errickson.
Harlan	Did I say that? Well, I don't really know if I knew him or not. I was hoping you might be able to help me out.
Rachel	Help you? In what way?
Harlan	I'm not sure.
Rachel	Mr. Driscoll, I don't have time right now to help you with your problem. I've got to go. Really, I'm sorry.
Harlan	All right.
Rachel	Maybe we can talk later. Let's say the "Three Star" around seven o'clock tonight?
Harlan	Okay.
Rachel	See you there.
Engineer	Take five, four, three, two...
Rachel	Hello, my friends out there in radio land. This is Coyote coming to you over KLEX-FM, ninety-eight on your radio dial.

La última aventura

Tres son una multitud

Irma   *Eh, ¡tú! Ven, baila conmigo. Vamos.*

Harlan   *No soy muy buen bailarín.*

Irma   *¡Oh, vamos! Sólo tienes que soltarte un poquito. Sí, ¡eso está muy bien! Bueno, ahora, dame una vuelta. ¡Oh, eso estuvo bien! Eso está bien. Dame una super vuelta. ¡Oh! Bueno, ¡ésa también estuvo bastante bien! ¿Estás bien? Eso es magnífico. Eso también estuvo muy bien. Bueno, ¿por qué no me llamas? Mi número está justo en la pared del baño. Sólo estoy bromeando.*

Harlan   *Hola.*

Rachel   *No te hice esperar, ¿no?*

Harlan   *No, no, no. Tengo todo el tiempo del mundo.*

Rachel   *Discúlpame por ser tan abrupta anteriormente.*

Harlan   *Está bien. Lo comprendo. Estabas trabajando.*

Rachel   *Realmente estoy interesada en todo lo que tengas para contarme.*

Harlan   *Bien, yo he estado trabajando en estos dibujos y no sabía lo que significaban hasta que vine aquí. Y luego, ayer estaba escuchando tu programa de radio y el nombre "Harlan Errickson" tuvo algún significado para mí.*

Luther   *Hola.*

Novia   *Luther. Luther. Trae tu trasero aquí y baila conmigo.*

Harlan   *Un tipo muy amistoso.*

Rachel   *Justo mi tipo. ¿Por qué no vamos a mi casa? Podremos hablar en privado.*

Three is a Crowd   42:04

Irma   Hey, you. Come on, dance with me. Come on.

Harlan   I'm not much good at dancing.

Irma   Oh, come on! You just have to *loosen up*[70] a little bit. Yeah,
              that's really good! Okay, well, give me a spin. Oh, that's good!
              That's good. Give me a super spin. Oh! Well, that's pretty
              good, too! Fine. That's great. That was pretty good, too. Well, why
              don't you call me up? My number's right on the bathroom wall.
              I'm only kidding.

Harlan   Hi.

Rachel   I didn't keep you waiting?

Harlan   No, no, no. I've got nothing but time on my hands.

Rachel   Sorry I had to be so abrupt earlier on.

Harlan   That's all right. I understand. You were working.

Rachel   I really am interested in anything you can tell me.

Harlan   Well, I've been working on these drawings and I didn't really
              know what they meant until I came here. And then yesterday,
              I was listening to your radio show and the name Harlan Errickson
              meant something to me.

Luther   Hi.

Girlfriend Luther. Luther. Get your *ass*[71] out here and dance with me.

Harlan   A really friendly guy.

Rachel   Just my type. Why don't we go by my house? We'll have some
              privacy.

---

70 loosen up: (literal) Soltarse; (coloquial)= relajarse, distenderse.
71 ass: (vulgarismo)= trasero.

La última aventura

Harlan	*¿A tu casa?*
Rachel	*Mira, esto es trabajo. No estoy aquí buscando aventuras y si tú lo estás, lamento decepcionarte.*
Harlan	*No, eso no era lo que estaba pensando.*
Rachel	*Entonces vámonos.*

Einstein

Rachel	*Me gusta. Me gusta.*
Harlan	*Esta fotografía no la sacaron en Estados Unidos, ¿verdad?*
Rachel	*No. Nací y crecí en Montreal. Montreal, Quebec. Luego vine a este país y conocí a mi esposo, Jim, y ahora...*
Harlan	*¿Alguna vez extrañas tu país?*
Rachel	*Siempre lo extraño. Es difícil volver.*
Harlan	*Me gusta tu programa. ¿Cómo comenzaste a trabajar en la radio?*
Rachel	*Comencé con un programa en Montreal y luego una estación de Atlanta me contrató para que viniera aquí.*
Harlan	*¿Fue entonces cuando conociste a tu esposo?*
Rachel	*Sí.*
Harlan	*¿Cuánto tiempo llevan casados?*
Rachel	*Doce años. Y luego él murió. Hace casi cuatro años. ¿Y tú? ¿Estás casado?*
Harlan	*No.*
Rachel	*¿Nunca lo estuviste?*

66

Harlan	Your house?
Rachel	Look, this is work. I'm not *on the make*[72] and if you are, I'm sorry to disappoint you.
Harlan	No, that wasn't what I was thinking.
Rachel	So let's go.

Einstein 44:30

Rachel	I like it. I like it.
Harlan	This picture wasn't taken in the United States, was it?
Rachel	No. I was born and grew up in Montreal. Montreal, Quebec. Then I came to this country and I met my husband Jim and now...
Harlan	Do you ever get *homesick*[73]?
Rachel	I'm always homesick. It's tough to go back.
Harlan	I like your show. How'd you get into radio?
Rachel	I started with a show in Montreal and then an Atlanta station hired me to come down here.
Harlan	Is that when you met your husband?
Rachel	Yes.
Harlan	How long [have] you been married?
Rachel	Twelve years. And then he died. Almost four years ago. And you? Are you married?
Harlan	No.
Rachel	Never [have] been?

---

72 on the make: (literal) En el hacer;(coloquial)= buscando pareja.
73 homesick: (literal) Enferma por casa; (coloquial)= extrañar el hogar/ lugar de donde se proviene.

La última aventura

Harlan	*Einstein.*
Rachel	*¿Cómo?*
Harlan	*El nombre Einstein me viene constantemente a la mente. ¿Hay aquí algún banco bajo una ventana en la casa que tenga algún tipo de pintura o dibujo sobre él?*
Rachel	*¿Es una broma?*
Harlan	*Si lo es, la broma es a costa mía, porque siento como si hubiera estado aquí antes.*
Rachel	*Ven conmigo. Uno de los amigos más íntimos de Harlan, Isaac Rice, vivía en esta casa. Y él firmaba todos los autógrafos de su libro de la escuela "Einstein". Esto no tiene ningún sentido, ¿no?*
Harlan	*No.*
Rachel	*¿De dónde eres?*
Harlan	*De Tennessee.*
Rachel	*Bueno, entonces tendrías que hablar así.*
Harlan	*Lo sé. Y, según mi expediente de servicio, tendría que saber tocar guitarra, leer música y la verdad es que ni siquiera sé reconocer una nota.*
Rachel	*¿En qué rama del servicio?*
Harlan	*Inteligencia.*
Rachel	*¿La Armada? Bueno, igual que Harlan Errickson. Tal vez es de allí que lo conoces. ¿Quieres un café?*
Harlan	*Seguro. Bueno, será mejor que me vaya yendo. Gracias.*

Harlan	Einstein.
Rachel	What?
Harlan	The name Einstein keeps popping into my head. Is there a window bench in this house that has some kind of painting or drawing on it?
Rachel	Is this a joke?
Harlan	If it is, the joke's on me because I feel like I've been here before.
Rachel	Come with me. One of Harlan's closest friends used to live in this house, Isaac Rice. And he signed all of his *yearbook*[74] autographs "Einstein." Doesn't make any sense, huh?
Harlan	No.
Rachel	Where are you from?
Harlan	Tennessee.
Rachel	Well, then you ought to talk like this.
Harlan	I know. And according to my service file, I ought to be able to play the guitar, read music, and the truth is I can't even recognize one note.
Rachel	What branch of the service?
Harlan	Intelligence.
Rachel	Navy? Well, so was Harlan Errickson. Maybe that's where you know him from. Do you want some coffee?
Harlan	Sure. Well, I [have] better be going. Thanks.

---

74 yearbook: (literal) Libro del año;= anuario de la escuela.

La última aventura

Rachel	*Si quieres venir a almorzar mañana, serás más que bienvenido.*
Harlan	*Está bien. Un Corazón Púrpura. ¿Tu esposo también estaba en la Armada? ¿Un aviador? Debió de haberle gustado vivir en el límite.*
Rachel	*Nos parecíamos mucho. Buenas noches.*
Harlan	*Te veré mañana.*

Advertencia de Audrey

Audrey	*Bueno, todo me parece muy extraño. ¿Le contaste sobre Bill Hayes?*
Rachel	*No.*
Harlan	*¿Quién es Bill Hayes?*
Audrey	*Bueno, él era el Comisario de aquí y es evidente que conoce algún secreto sobre Harlan Errickson.*
Harlan	*¿Hay algún secreto?*
Rachel	*¿Quién sabe? Todas las personas que estaban más cerca de él parecen estar ocultando algo. Su propio hermano ni siquiera me habla. Veré a Bill Hayes después del almuerzo. Tengo una cita con él.*
Harlan	*¿Qué tal si te llevo?*
Rachel	*Bueno.*
Harlan	*Magnífico. Bueno, iré a calentar la motocicleta. Discúlpenme.*
Audrey	*No irás con él de veras, ¿no?*
Rachel	*Ah, ¿por qué no?*

Rachel	If you'd like to come by for lunch tomorrow, you're more than welcome.
Harlan	Okay. Purple Heart. Your husband was in the Navy, too? A flyer? He must have liked *living on the edge*[75].
Rachel	We were very alike. Good night.
Harlan	I'll see you tomorrow.

Warning from Audrey   48:24

Audrey	Well, it all seems very strange to me. Did you tell him about Bill Hayes?
Rachel	No.
Harlan	Who's Bill Hayes?
Audrey	Well, he used to be Sheriff here and evidently he has some secret about Harlan Errickson.
Harlan	Is there one?
Rachel	Who knows? The people who were closest to him all seem to be hiding something. His own brother won't even talk to me. I'm seeing Bill Hayes right after lunch. I've got an appointment.
Harlan	How about if I take you there?
Rachel	Sure.
Harlan	Great. Well, I'll go warm up the motorcycle. Excuse me.
Audrey	You're not really going to go with him, are you?
Rachel	Oh, why not?

---

75 living on the edge: (literal) Vivir en el borde (de un abismo); (coloquial)=
referente a llevar una vida tomando riesgos.

Audrey   *¿No se te ocurrió pensar anoche, Rachel, cuando estabas junto al fuego mirando sus ojos verdes, que este hombre no es exactamente un niño explorador?*

Rachel   *De veras espero que no lo sea.*

Audrey   *¿Y qué pasa si le gustan algún tipo de rarezas?*

Rachel   *¿De qué rarezas hablas?*

Audrey   *¿Qué sabes de él exactamente?*

Rachel   *Que me gusta.*

Harlan revela un pasado turbulento

Harlan   *Está fuera de punto. ¿Cuál es el problema?*

Rachel   *Audrey. No confía en ti.*

Harlan   *¿Y tú?*

Rachel   *Dímelo tú.*

Harlan   *Pasé los últimos diecisiete años en prisión. Supongo que debí habértelo contado antes.*

Rachel   *¿Por qué?*

Harlan   *Dicen que fue por comerciar en el mercado negro. Por robar cosas... como armas, suministros. Lo único que recuerdo es que desperté en un callejón y tenía el rostro... todo golpeado y tenía las manos... Bueno, ellos dijeron que me quemé las huellas digitales para tratar de cambiar de identidad.*

Rachel   *Lo siento.*

Harlan   *Simplemente es difícil creer que un hombre pudiera tocar guitarra con unas manos como éstas. Verás, todo mi rostro fue reconstruido. Por eso tengo este aspecto.*

Audrey	Did it ever occur to you last night, Rachel, when you were by the fire looking into his green eyes, that this man isn't exactly a boy scout?
Rachel	I sure hope he's not.
Audrey	What if he's into some kind of weirdness?
Rachel	What kind of weirdness?
Audrey	What exactly do you know about him?
Rachel	That I like him.

Harlan Reveals a troubled Past   50:26

Harlan	The timing's off. What's the matter?
Rachel	Audrey. She doesn't trust you.
Harlan	What about you?
Rachel	You tell me.
Harlan	I spent the last seventeen years in prison. I guess I should have told you before.
Rachel	What for?
Harlan	They said that it was black market ordinance. Stealing things like... weapons, supplies. All I remember is that I woke up in this alley and my face was all bashed in and my hands were... Well, they said that I burned off my fingerprints to try to change my identity.
Rachel	I'm sorry.
Harlan	It's just hard to believe that a man could play a guitar with hands like these. You see, my whole face was reconstructed. That's why I look like this.

73

Rachel	*Es una buena cara.*
Harlan	*Durante los últimos diecisiete años, siento como si hubiera estado viviendo en la piel de otro. ¡Lo único que sé acerca de Ben Driscoll es lo que leí en el expediente!*
Rachel	*Yo no me conozco a mí misma... más de lo que tú conoces de ti. Solía pensar que era muy independiente. Jim muere. Me lleva tres años darme cuenta de que el tiempo pasa y yo estoy inmóvil. Ahora estoy aquí. Las grietas se cerraron. Aún no totalmente a prueba de agua, pero funcionando. ¿Crees que personas como nosotros, que han pasado tanto tiempo en la sombra, en la oscuridad, podrían llamar a los ángeles y conseguir un milagro?*
Harlan	*Me vendría bien un milagro ahora mismo.*
Rachel	*Tendremos que descubrir nuestra identidad nosotros mismos. Vamos.*

El caso de Cindy

Harlan	*¿Es él? ¿Sr. Hayes? ¡¿Sr. Hayes?!*
Hayes	*¡Maldición! Tengo el corazón débil, muchacho.*
Rachel	*Sr. Hayes, soy Rachel Roux. Este es Ben Driscoll. Sr. Hayes, usted accedió a hablarme de Harlan Errickson.*
Hayes	*Usted me recuerda a alguien.*
Rachel	*Sr. Hayes, ¿qué tiene que ver Cindy Roper con Harlan Errickson?*
Hayes	*Bueno, algunos piensan que Harlan estaba con Cindy la noche en que fue asesinada.*
Rachel	*¿Asesinada?*

Rachel	It's a good face.
Harlan	For the past seventeen years, I feel like I've been living in somebody else's skin. The only thing I know about Ben Driscoll is what I read in a file!
Rachel	I don't know myself any better than you know who you are. I used to think I was very independent. Jim dies. It takes me three years to notice that time's passing and I'm standing still. I'm here now. Cracks patched up. Not quite water-tight, but functioning. [Do] You think that people like us, who have spent so much time in the shadow, the dark, could call upon the angels and get a miracle?
Harlan	I could use a miracle right now.
Rachel	We'll have to establish our identity ourselves. Come on.

Cindy's Case   54:08

Harlan	Is that him? Mr. Hayes? Mr. Hayes?!
Hayes	Damn! I got a weak heart, boy.
Rachel	Mr. Hayes, I'm Rachel Roux. This is Ben Driscoll. Mr. Hayes, you agreed to talk to me about Harlan Errickson.
Hayes	You remind me of somebody.
Rachel	Mr. Hayes, what does Cindy Roper have to do with Harlan Errickson?
Hayes	Well, some folks think that Harlan was with Cindy the night she was murdered.
Rachel	Murdered?

La última aventura

Hayes *La mataron a golpes. Sí, hay algo extraño en ese caso desde el principio. Cuando comencé a investigarlo, lo único que sabíamos era que ella había desaparecido. La gente estaba más que dispuesta a hablar. Luego, alrededor de una semana más tarde, encontramos su cuerpo. Este pueblo entero se encerró en su cascarón.*

Rachel *¿Qué quiere decir?*

Hayes *El viejo Errickson decidió que las cosas tocaban demasiado cerca. Un día tenía tres testigos, al día siguiente no tenía ninguno.*

Harlan *¿Las personas realmente vieron el asesinato?*

Hayes *No. Tenía un empleado de la gasolinera que dijo que ella lo saludó desde el Corvette de Harlan cuando pasaron por su gasolinera poco después de la medianoche.*

Rachel *¿Y los otros?*

Hayes *Bueno, había un mecánico... Alegó que estaba en el "Red Dog" y que vio a Cindy subir al Corvette justo alrededor de esa misma hora.*

Harlan *¿Y el tercer testigo?*

Hayes *El Sr. Roper. El padre de Cindy. Pero se retractó. Dijo que no podía recordar exactamente cuándo salió Cindy de su casa. Demasiada amnesia repentinamente. Bueno, adelante, entremos.*

Rachel *¿No había nada que usted pudiera hacer?*

Hayes	Beat to death. Yeah, there's something strange about that case right *out of the gate*[76]. When I first started investigating it, all we knew was that she disappeared. Folks were more than willing to talk. Then after about a week, we found her body. This whole town just kind of *went into its shell* [77].
Rachel	What do you mean?
Hayes	*Old man*[78] Errickson decided things had hit too close to home. One day I had three witnesses, the next day I didn't have any.
Harlan	Did people actually see the murder?
Hayes	No. Had a *filling station*[79] attendant that said she waved to him from Harlan's Corvette when they went past his gas station shortly after midnight.
Rachel	What about the others?
Hayes	Well, there was a shop mechanic. He claimed that he was at the "Red Dog" and saw Cindy get into the Corvette just about that same time.
Harlan	What about the third witness?
Hayes	Mr. Roper, Cindy's father. But he reversed himself. Said he couldn't remember just exactly when Cindy left home. [There was] a whole lot of memory loss going on all of a sudden. Well, come on, let's go inside.
Rachel	Wasn't there anything you could do?

---

76 out of the gate: (literal) Afuera de la puerta de salida (como en una carrera); (coloquial)= desde el principio.
77 went into its shell: (literal) Se metió dentro de su caparazón (como una tortuga); (coloquial)= se volvieron reservados.
78 old man: (literal) Hombre viejo, viejo; (coloquial)= referente al padre en una familia.
79 filling station: (literal) Estación para llenar; (coloquial)= forma de "gas station"= gasolinera.

La última aventura

Hayes	*Bueno, para cuando encontramos el cuerpo, había llegado la noticia de que Harlan había sido asesinado. No parecía tener sentido seguir investigando, así que, abandoné el caso. Como todos están muertos, excepto tal vez Arnie, supongo que nunca sabremos qué vieron realmente esa noche. Escúchenme, háganle un favor a un anciano, ¿quieren? Si alguna vez descubren qué ocurrió esa noche, me gustaría enterarme. Porque el Harlan Errickson que yo conocí tenía mal genio, pero no era del tipo que estrangularía a una muchacha para luego abandonar su cuerpo en el bosque para que se lo comiesen los cuervos. Generalmente, no suelo equivocarme con la gente. Me gustaría pensar que no me equivoqué esa vez.*
Rachel	*Gracias.*
Hayes	*Sí.*
Harlan	*Encantado de haberlo conocido.*
Hayes	*Adiós.*
Rachel	*Adiós. No son exactamente buenas noticias, ¿no?*
Harlan	*Parece que Harlan Errickson tal vez no sea mejor que Ben Driscoll.*
Rachel	*Si es culpable.*
Harlan	*Claro, "si".*
Rachel	*Vera y Elise saben algo sobre esto que no quieren contar.*

Marshall hace un descubrimiento

Rachel	*Eso es todo por hoy, amigos. Más sobre Harlan mañana. Sé que todos están tan envueltos en esto como yo, tan ansiosos por aprender más sobre él como yo. Hasta entonces...*

Hayes   Well, by the time we discovered the body, word had come that Harlan had been killed. Didn't seem to be any point in *beating a dead horse*[80], so I just let it go. Since they're all dead, except maybe for Arnie, I guess we never will know what they really saw that night. Listen, do an old man a favor, will you? If you ever do find out what happened that night, I'd like to hear about it. Now, the Harlan Errickson I knew had a *quick temper*[81], but he wasn't the kind that would strangle a girl and then leave her body out in the woods for the crows to finish off. I'm usually a pretty good judge
of character. I'd like to think I didn't miss on that one.

Rachel   Thank you.

Hayes.   Yep.

Harlan   [It is] Nice to have met you.

Hayes   'Bye.

Rachel   'Bye-bye. Not exactly good news, is it?

Harlan   Looks like Harlan Errickson may be no better than Ben Driscoll.

Rachel   If he's guilty.

Harlan   Yeah, "if."

Rachel   Vera and Elise know something about all this that they are not telling.

Marshall Makes a Discovery   57:39

Rachel   That's it for today my friends. More on Harlan tomorrow. I know you're all as *wrapped up*[82] in this as I am, and as eager to learn more about him as I am. Until then—

---

80   beating a dead horse: (literal) Pegarle a un caballo muerto (para que ande); (coloquial)= insistir en algo cuando ya no se puede hacer nada.
81   quick temper: (literal) Humor rápido; (coloquial)= poco tolerante, súbitamente de mal humor .
82   wrapped up: (literal) envueltos; (coloquial)= estar cada vez más involucrado. (no confundir con la nota # 10).

Marshall	Sigue así y borras por completo la superficie de ese mostrador, Irma.

Irma	El Inspector vendrá hoy. Ahí está el hombre que compró esa vieja motocicleta que Kelly Myers cambió. Ayer, estuvo aquí casi todo el día. Buenos días.

Harlan	Buenos días.

Irma	¿Café?

Harlan	Por favor.

Irma	Así que, ¿cómo te fue anoche con esa mujer Roux?

Harlan	No sé todavía.

Irma	Bueno, mantenme informada.

Harlan	Está bien.

Comisario	Irma.

Luther recibe una tarea

Marshall	¡No me importa lo que pienses! Cuando tengo un problema, te pago buen dinero para que te ocupes de él. Ahora mismo tengo un problema. Tengo un problema con la mujer Roux, tengo un problema con este Ben Driscoll que anda con ella y tengo un problema con Elise.

Luther	No, de Elise yo no me encargo. Fuimos juntos a la escuela.

Marshall	Ahora tenemos conciencia. Prácticamente viviste en esta casa con Harlan y conmigo. ¿Dónde estaba tu conciencia cuando te pedí que te encargaras de ese problema?

Marshall   You keep it up, you're going to rub the surface right off that counter, Irma.

Irma   [The] Inspector's coming today. Here's the man [that] bought that old *cycle*83 Kelly Myers traded in. He spent nearly a whole day here yesterday. 'Morning.

Harlan   'Morning.

Irma   Coffee?

Harlan   Please.

Irma   So, how'd you *make out*84 with that Roux woman last night?

Harlan   I don't know yet.

Irma   Well, *keep me posted* 85.

Harlan   Okay.

Sheriff   Irma.

Luther Gets an Assignment   59:39

Marshall   I don't care what you think! When I have a problem, I pay you good money to take care of that problem and I have a problem, right now. I have a problem with the Roux woman, I have a problem with this Ben Driscoll that she *hangs around* 86 with, and I have a problem with Elise.

Luther   No, I'm not *doing*87 Elise. I went to school with her.

Marshall   We have a conscience now. You practically lived in this house with Harlan and I. Where was your conscience when I asked you to take care of that problem?

83   cycle: (coloquial) Forma de "motorcycle"= motocicleta.
84   make out: (literal) Hacer fuera; (coloquial)= equivalente a "¿cómo te fue...?".
85   keep me posted: (literal) Mantenme anunciada; (coloquial)= Mantenme informada.
86   hangs around: (literal) Andar colgado alrededor de (como simios, en un árbol); (coloquial)= andar, pasar el tiempo.
87   doing: (literal) Hacer a; (coloquial) = matarla.

81

Luther   *Matar a tu hermano no es lo mismo que matar a Elise. Odiaba a Harlan tanto como tú.*

Marshall   *¿Puedo decirte algo acerca de Driscoll? ¿Hay algo que te resulte familiar sobre él? ¿Te acuerdas del cuadro que estuvo colgado sobre la chimenea de esta casa durante tantos años? Lo pintó Harlan cuando tenía trece años. A mi padre le encantaba. Gastó mil dólares en hacerlo enmarcar. ¡Era una basura! Ben Driscoll pintó exactamente el mismo cuadro. Lo dibujó en su cuaderno, exacto hasta el último detalle, en el "Three Star" la otra mañana. Su cara puede ser distinta ahora, pero creo que Ben Driscoll es mi hermano.*

Luther   *Estás perdiendo la razón, Marshall. Te estás volviendo loco. Yo me encargué de ese problema hace mucho tiempo.*

Marshall   *¡No te atrevas a hablarme así! ¡Te digo que estás metido en esto aún más que yo y nunca lo olvides! Ahora tengo un problema y quiero que ese problema se resuelva. Y quiero que se resuelva ahora. Buenas noches.*

La casa parroquial

Elise   *No sirve de nada. Sigo diciéndome a mí misma que Dios me ha perdonado, pero no puedo creer que pudiera ser así de fácil.*

Tommy   *Dios te ha perdonado, Elise. Y tienes razón. No es tan fácil. Pero debemos pensar en nuestra posición en esta comunidad. Elise...*

Elise   *Sólo quiero hacer lo correcto.*

Rachel   *Hola, Elise, Reverendo. Necesito hablar con usted.*

Elise   *Le he dicho todo lo que puedo, Srta. Roux.*

Tommy   *Creo que no nos conocemos.*

Luther   Killing your brother ain't the same thing as killing Elise. I hated Harlan just as much as you did.

Marshall   Can I tell you something about Driscoll? Is there anything familiar about him to you? Do you remember the painting that I had over the fireplace here for so many years? Harlan painted it when he was thirteen. My father loved it. He spent a thousand dollars getting it framed. It was garbage! Ben Driscoll painted the exact same painting. Sketched it in his sketchbook, exact down to the last detail in the "Three Star" the other morning. Now his face may be different, but I think Ben Driscoll's my brother.

Luther   You're *losing it* [88], Marshall. You're *going off the deep end*[89]. I handled that problem a long time ago.

Marshall   Don't you talk to me that way! I am telling you, you are in this deeper than I am and don't you ever forget it! Now I have a problem, and I want that problem solved. And I want it solved now. Good night.

The Parish House 1:02:10

Elise   It's no use. I keep telling myself that God has forgiven me and I can't believe it could be that easy.

Tommy   God has forgiven you, Elise. And you're right. It's not that easy. But we have to think about our position in this community. Elise...

Elise   I just want to do what's right.

Rachel   Hello, Elise, Reverend. I need to talk to you.

Elise   I've told you all I can, Miss Roux.

Tommy   I don't believe we've met.

---

88   losing it: (literal) Perdiéndola; (coloquial)= referente a perder la razón/ la cabeza.
89   going off the deep end: (literal) Cayendo a lo más profundo; (coloquial)= perdiendo la razón.

La última aventura

Harlan	*Ben Driscoll.*
Tommy	*Tommy Lawler. Esta es mi esposa, Elise. Srta. Roux, he tenido intenciones de comunicarme con usted con referencia a emitir un anuncio de interés público. No sé cómo funcionan estas cosas.*
Rachel	*Eso corresponde al departamento de Karl Wilson. Le diré que lo llame.*
Tommy	*Gracias.*
Rachel	*Por favor.*
Elise	*No. Lo siento.*
Tommy	*Querida, ¿puedes atender?*
Elise	*Discúlpenme.*
Rachel	*Es importante que hable con ella. Si pudiera sólo—*
Tommy	*Mire yo sé que le ha hablado a mi esposa sobre su perfil de Harlan Errickson. Me temo que no servirá de nada. Simplemente no quiere discutirlo.*
Elise	*Tommy, hubo un accidente. Frank está muerto.*
Rachel	*Dios mío.*
Tommy	*Si nos disculpan...*

Rachel tiene una teoría

Rachel	*No. No hay nadie aquí. No hago más que decirme a mí misma que la muerte de Frank fue un accidente. Que no fue la causa el que hablara conmigo.*
Harlan	*Creo que deberíamos abandonar todo esto.*
Rachel	*No tengo interés en abandonar ahora. ¿No piensas que tú podrías ser Harlan Errickson?*

Harlan	Ben Driscoll.
Tommy	Tommy Lawler. This is my wife, Elise. Miss Roux, I've been meaning to contact you about running a public service announcement. I don't know how these things work.
Rachel	That's Karl Wilson's department. I'll have him give you a call.
Tommy	Thank you.
Rachel	Please.
Elise	No. I'm sorry.
Tommy	Honey, could you get that?
Elise	Excuse me.
Rachel	It's important that I talk to her. If you could just—
Tommy	Look, I know that you've spoken to my wife about your Harlan Errickson's profile. I'm afraid it's no use. She just doesn't want to discuss it.
Elise	Tommy, there's been an accident. Frank is dead.
Rachel	My God.
Tommy	If you'll excuse us...

Rachel Has a Theory   1:03:58

Rachel	*Nope*[90]. Nobody's here. I keep telling myself that Frank's death was an accident. That talking to me wasn't the cause.
Harlan	I think we ought to let go of this whole thing.
Rachel	I'm not interested in *giving up*[91] now. Don't you think you might be Harlan Errickson?

---

90   nope: (coloquial) Forma de "no"= no.
91   giving up: (literal) Dando arriba; (coloquial)= darse por vencido.

La última aventura

Harlan	*Si lo soy, tal vez pueda recordar qué se siente al golpear una muchacha hasta que muera.*
Rachel	*No lo creo.*

Karl recibe un mensaje

Locutor	*La policía aún busca testigos y cualquier información que pudiera ayudarlos a identificar al conductor responsable de la muerte de Frank Calovich, que murió al ser atropellado por un automóvil que huyó, ayer en la ruta este, justo al sur de Lexington.*
Karl	*¡Buenísimo!*
Locutor	*La Cámara de Comercio está ofreciendo una recompensa de quinientos dólares por información que resulte en un arresto.*
Karl	*Te lo diré directamente. Marshall Errickson quiere que termines con este perfil.*
Rachel	*¿Y le vas a permitir que te diga qué debes hacer en tu propia estación?*
Karl	*Tengo una esposa y niños.*
Rachel	*Karl, no puedes abandonarlo ahora.*
Karl	*Mira, lo que haces en tu propio tiempo es asunto tuyo, pero yo tengo que seguir con el programa. Esto tiene que terminar. ¡No sé cómo pelear este tipo de batalla!*
Rachel	*No te preocupes. No tendrás que hacerlo. Con la habitación del Sr. Driscoll, por favor... Puedo dejarle un— No importa. Gracias.*

Harlan   If I am, maybe I'll remember what it feels like to beat a girl to death.

Rachel   I don't believe that.

Karl Gets a Message   1:04:36

Announcer   Police are still seeking witnesses and any information that might help them identify the driver responsible for the death of Frank Calovich, killed by a *hit-and-run*[92] driver yesterday out on the east side road just south of Lexington.

Karl   O.K.!

Announcer   The Chamber of Commerce is offering a five hundred dollar reward for information leading to an arrest.

Karl   I'll *give it to you straight*[93]. Marshall Errickson wants this profile wrapped.

Rachel   And you're going to let him tell you what to do on your own station?

Karl   I've got a wife and kids.

Rachel   Karl, you can't *walk away*[94] from it now.

Karl   Listen, what you do on your own time is your business, but I have got to *pull the show*[95]. It has got to stop. I don't know how to fight this kind of battle!

Rachel   Don't worry. You won't have to. Ben Driscoll's room, please... May I leave a— Never mind. Thank you.

---

92 hit-and-run: (literal) Golpear y correr; (coloquial)= atropellar a alguien con un vehículo y escapar sin detenerse.

93 give it to you straight: (literal) Dártelo directo; (coloquial)= hablar sin rodeos.

94 walk away: (literal) Caminar y alejarse de; = abandonar.

95 pull the show: (literal) Sacar el programa; (coloquial)= cancelar el programa.

La última aventura

Reino de terror

Hayes   *¡Bastardos! ¡Fuera de aquí!*
¡Oh, diantres!

La trampa

Posadero   *Ya es suficiente, Luther. Por aquí dirijo un lugar respetable. Tú y tus amigos asquerosos lárguense de aquí. Tú también, lárgate de aquí.*

Harlan va a casa de Rachel

Rachel   *¿Qué pasó?*

Harlan   *El comité local de bienvenida. Parece que no les gusto a los muchachos del Sr. Errickson. Sólo quería asegurarme de que estabas bien.*

Rachel   *Estoy bien.*

Harlan   *Creo que será mejor que tenga una charla con el Sr. Errickson.*

Rachel   *Creo que será mejor que entres. No estás en condiciones de ir a ninguna parte. Y tú. ¿Exactamente qué crees que hubieras podido hacer para ayudarme en este estado?*

Harlan   *Sangrar sobre ti.*

Rachel   *Oh, no, no hagas eso. Bueno... Perdón.*

Harlan   *Está bien.*

Reign of Terror   1:06:48

Hayes   You bastards! Get the hell out of here! Oh, *shoot*[96]!

The Trap   1:07:32

Innkeeper   That's enough, Luther. I run a respectable place around here. You and your *scumbag*[97] friends get out of here. You, too. Get the hell out of here.

Harlan Goes to Rachel's House   1:08:21

Rachel   What happened?

Harlan   Local welcoming committee. Mr. Errickson's boys don't seem to like me. I just wanted to make sure you were all right.

Rachel   I'm fine.

Harlan   I think I better have a talk with Mr. Errickson.

Rachel   I think you [had] better come inside. You're in no shape to go anywhere. And you. Just what did you think you could do to help me in this shape?

Harlan   Bleed on you.

Rachel   Oh, no, don't do that. Well... Sorry.

Harlan   Okay.

---

96   shoot: (literal)=Disparar; (coloquial)= forma más cortés de expresar una grosería.
97   scumbag: (vulgarismo)= Asqueroso(s).

La última aventura

Socios

Rachel	*Parece que te queda bien.*
Harlan	*Sí, me queda bien.*
Rachel	*Sobre lo que pasó anoche...*
Harlan	*No tienes que preocuparte por mí. Sin ataduras, ¿verdad?*
Rachel	*Correcto. Sin ataduras.*
Harlan	*Eso es lo que quieres, ¿no es cierto?*
Rachel	*Sí, eso es lo que quiero.*
Harlan	*Tengo que ir a la casa de los Errickson.*
Rachel	*Ah, buena idea, porque yo también tengo unas cuantas cosas que decirle.*
Harlan	*Tú te quedas fuera de esto. Te quedarás aquí.*
Rachel	*Vamos a aclarar algo. Yo no me achico y me escondo sólo porque las cosas se ponen un poco difíciles.*
Harlan	*Rachel, tú no irás.*
Rachel	*Bueno, a menos que quieras mantenerme aquí por la fuerza, sin duda alguna iré.*

Buscando a Marshall

Rachel	*¡Sr. Errickson! ¿Sr. Errickson? ¿Sr. Errickson? ¿Reconoces esta habitación?*
Harlan	*No. Mejor nos vamos.*

Partners   1:10:13

Rachel   Looks like it fits.

Harlan   Yeah, it's okay.

Rachel   About last night...

Harlan   You don't have to worry about me. No *strings*[98], right?

Rachel   Right. No strings.

Harlan   That's what you want, isn't it?

Rachel   Yes, that's what I want.

Harlan   I have to go over to the Errickson house.

Rachel   Oh, that's good because I've got a few things to say to him myself.

Harlan   You're out of this. You are staying here.

Rachel   Let's get something straight. I don't just curl up and hide because things get a little rough.

Harlan   Rachel, you're not going.

Rachel   Well, unless you intend to forcibly keep me here, I most certainly am.

Searching for Marshall   1:11:16

Rachel   Mr. Errickson! Mr. Errickson? Mr. Errickson? Do you recognize this room?

Harlan   No. We better go.

---

98   strings: (literal) Cuerdas, piolas; (coloquial)= lazos románticos, compromiso.

La última aventura

El Comisario sospecha

Comisario   *Bien, yo puedo hacerme el distraído cuando un ex presidiario recibe unos golpes. Pero este asunto de Frank Calovich y Bill Hayes es una cosa distinta y estoy dispuesto a asegurarme de que el culpable pague.*

Marshall   *Bueno, eso está bien, Spud. Excelente. A veces es necesario actuar con firmeza.*

Comisario   *He estado averiguando sobre este personaje Driscoll con la prisión y me dijeron que llamaste allá. Me parece que tienes un interés poco común en él. ¿Qué significa eso? Sabes, Chad y yo hemos estado tratando de sumar dos y dos... y las cosas están comenzando a sumar cuatro. ¿Mandaste a Luther a la casa—?*

Marshall   *¿Sabes algo? A veces me pregunto si tú y Chad juntos pueden sumar uno y uno. Yo también he estado tratando de pensar, Spud. ¿A ti no te parece extraño que Driscoll y la mujer Roux se hayan juntado con tanta rapidez? Para comenzar, ¿por qué fueron a ver a Bill Hayes? De manera que, antes de señalar con el dedo en la dirección de los Errickson, que es la dirección en la que todos parecen señalar con el dedo en este pueblo, será mejor que hagas algunas averiguaciones sobre ellos.*

Comisario   *Bien, los llamaré para interrogarlos. Que te quede claro esto, Marshall. Un buen agente del orden puede ver lo sucio de un hombre donde otras personas no pueden. Piénsalo. ¿Comprendes lo que te digo?*

The Sheriff Suspects   1:12:27

Sheriff   Now I can look the other way when an ex-con gets a few lumps. But this business with Frank Calovich and Bill Hayes is something different, and I intend to make sure that the guilty party pays.

Marshall   Well, that's good, Spud. That's excellent. Sometimes you have to *put your foot down*[99].

Sheriff   Now I've been checking on this Driscoll character at the prison, and they tell me that you called up there. It seems to me that you have an uncommon interest in him yourself. What does that mean? You know, Chad and me have been trying to *put two and two together*[100] about it, and we're starting to come up with four. Did you send Luther out to the house—?

Marshall   You know, sometimes I wonder if you and Chad together can add one and one. I've been doing some figuring myself, Spud. It doesn't seem peculiar to you that Driscoll and the Roux woman teamed up so fast? Why did they go up to see Bill Hayes in the first place? So, before you go pointing a finger in the Erricksons' direction, which is the direction which everybody seems to point the finger in this town, you [had] better do some checking up on them.

Sheriff   Well, I'll *pull them in*[101] for questioning. You get this straight, Marshall. A good lawman can see dirt on a man other people can't. You think about it. You know what I mean?

---

99 put your foot down: (literal) Poner el pie en el suelo (con fuerza); (coloquial)= establecer que algo indebido no se aguantará ya más.

100 put two and two together: (literal) Sumar dos más dos (con el obvio resultado de cuatro); (coloquial)= empezar a sacar conclusiones en base a datos conocidos u obtenidos.

101 pull them in: (literal) Halarles dentro; (coloquial)= para la policía: recoger a testigos/ sospechosos para entrevistarlos/ interrogarlos.

93

La última aventura

Quién es quién

Harlan   *Escucha, te mentí cuando estábamos allí. He estado en esa casa antes.*

Rachel   *Yo creo que tú eres Harlan Errickson.*

Harlan   *Si yo soy Harlan Errickson significa que soy un asesino.*

Rachel   *No lo creo. Tú eres aquel en quien te convertiste durante aquellos diecisiete años en prisión. Ese eres tú. Te quiero a ti. ...Elise, ella sabe lo que ocurrió esa noche. Tenemos que convencerla de que nos lo diga.*

Tommy   *¡Srta. Roux, no tenemos nada que decirle! ¡Déjenos tranquilos!*

Rachel   *Por favor, déjenos entrar.*

Elise   *Abre la puerta, Tommy.*

Tommy   *Elise.*

Elise   *Abre la puerta.*

Rachel   *Dinos la verdad, Elise. Tú sabes qué ocurrió.*

Tommy   *Elise, por favor. No tienes que hacer esto.*

Elise   *Sí, tengo que hacerlo. Frank está muerto. No podemos seguir mintiendo. Frank mintió para protegerme. Estuvo mintiendo por nosotros durante años. Simplemente teníamos tanto miedo de que nos arrastraran por el lodo.*

Tommy   *Cariño, por favor.*

Elise   *Harlan y yo estábamos comprometidos. Yo quería terminar mis estudios, así que no parecía haber urgencia con respecto a casarnos. Lamentablemente, no esperamos para todo. Quedé embarazada y no quería el bebé. Esa última noche que vi a Harlan, tuvimos una pelea terrible.*

Who's Who 1:14:08

Harlan   Listen, I lied to you back there. I've been in that house before.

Rachel   I think you're Harlan Errickson.

Harlan   If I am Harlan Errickson that means that I'm a killer.

Rachel   I don't believe that. You're whomever you became during those seventeen years in prison. That's you. I want you. ...Elise, she knows what happened that night. We have to convince her to tell us.

Tommy   Miss Roux, we have nothing to say to you! Leave us alone!

Rachel   Please let us in.

Elise   Open the door, Tommy.

Tommy   Elise.

Elise   Open the door.

Rachel   Tell us the truth, Elise. You know what happened.

Tommy   Elise, please. You don't have to do this.

Elise   Yes, I do. Frank's dead. We can't lie anymore. Frank lied to protect me. He'd been doing that for us for years. We were just so afraid of being *dragged through the mud*[102].

Tommy   Honey, please.

Elise   Harlan and I were engaged. I wanted to finish college so there didn't seem to be any immediacy about getting married. Unfortunately, we didn't wait for everything. I got pregnant and I didn't want the baby. That last night that I saw Harlan we had this terrible argument.

---

102 dragged through the mud: (literal) Arrastraran por el lodo; (coloquial)= nos dañaran nuestra reputación.

La última aventura

Harlan Joven *¡Elise, por favor! ¡Es mi bebé también!*

Elise Joven *Te lo dije, no estoy preparada, Harlan. ¡No quiero ser como todas las otras mujeres de este pueblo! ¡Me lo prometiste! ¿Ahora estás retractándote de tu promesa? Si no voy a la universidad— Si no termino mis estudios, nunca seré...*

Harlan Joven *Querida...*

Harlan *Corazón de mi corazón...*

Elise *Oh, Dios mío. Dios mío.*

Harlan *Yo estuve contigo esa noche.*

Elise *¿Harlan?*

Harlan *Luego me fui con Frank. Marshall tenía mi automóvil.*

Rachel *¡Espera! Por favor, préstenme su automóvil. Y por favor, llamen al Comisario. Nos vamos a casa de los Errickson.*

Tommy *Elise.*

Luther interfiere

Rachel *¡Dios mío! Vamos. ¡Vamos!*

Luther *¡Vamos, sal! ¡Sal, vamos! ¡Vamos! ¡Vamos! ¡Sal de ahí! ¡Dije que salgas!*

Caín y Abel

Harlan *Hola, hermano. Ese es el hermano que recuerdo.*

Marshall *¿Qué quieres?*

Young Harlan Elise, please! It's my baby too!

Young Elise I told you, I'm not ready, Harlan. I don't want to be like every other woman in this town! You promised me! Now are you *going back*[103] on your promise? If I don't go out to college— If I don't finish
college, I'll never...

Young Harlan Sweetheart...

Harlan Heart of my heart...

Elise Oh, my God. My God.

Harlan I was with you that night.

Elise Harlan?

Harlan Then I went with Frank. Marshall had my car.

Rachel Wait! Please, let me have your car. And please call the Sheriff. We're going to the Errickson's house.

Tommy Elise.

Luther interferes   1:17:30

Rachel Oh, God. Come on. Come on!

Luther Come on, get out! Come on out! Come on! Come on! Get out of there! I said get out!

Cain and Abel   1:18:51

Harlan Hello, brother. Now that's the brother I remember.

Marshall What do you want?

---

103 going back: (literal) Devolverse;= faltar (a una promesa o a la palabra).

97

La última aventura

Harlan	*Quiero saber por qué me dejaste por muerto hace diecisiete años. Por qué tuve que pasar la mejor parte de mi vida en prisión.*
Marshall	*Eres Ben Driscoll. No eres mi hermano. Mi hermano está muerto.*
Harlan	*Oh, sí. Soy tu hermano. Y tú lo sabes. Soy Harlan. El rostro puede ser diferente, pero mírame a los ojos.*
Marshall	*¿Quieres una parte de todo esto? ¿Es eso? ¿Quieres una parte de todo esto? No podrás comenzar a gastar tu herencia, amigo mío, hasta que se te ocurra una buena coartada para la noche en que Cindy Roper fue asesinada.*
Harlan	*Yo no maté a Cindy Roper. No estaba allí. Recuerdo todo lo que sucedió esa noche.*
Marshall	*Qué conveniente. Aparentemente sólo recuerdas aquellas cosas que quieres recordar. Lo verifiqué con las autoridades. No recuerdas nada. De manera que, ¿por qué iba nadie a creerte?*
Harlan	*¿Por qué me odias tanto?*
Marshall	*Nací para odiarte. El señorito Gran Atleta. El señorito Hijo Perfecto. Bueno, no pensaron que eras tan perfecto cuando encontraron el cuerpo de Cindy Roper, ¿verdad? Qué chistoso. Todas las pistas parecían señalar hacia ti. Pues ahora Papá está muerto. Yo tengo el dinero. Yo tengo el poder. Créeme, no hay forma de que vaya a permitir que vuelvas a la vida y me lo quites todo.*
Harlan	*Entonces tendrás que matarme.*
Marshall	*¿Quieres apostar?*
Vera	*Siempre me encantaron las reuniones familiares.*
Marshall	*¡Esto no te concierne, Vera!*

Harlan	I want to know why you left me for dead seventeen years ago, why I had to spend the best part of my life in prison.
Marshall	You're Ben Driscoll. You're not my brother. My brother's dead.
Harlan	Oh, yes. I am your brother. And you know it. I'm Harlan. The face may be different, but look in the eyes.
Marshall	You want a chunk of all this? Is that it? You want a chunk of all this? You don't start spending your inheritance, my friend, until you come up with a good alibi for the night Cindy Roper was murdered.
Harlan	I didn't kill Cindy Roper. I wasn't there. I remember everything that happened that night.
Marshall	How convenient. Apparently you remember only those things that you want to remember. I checked with the authorities. You don't remember anything. So why would anybody believe you?
Harlan	Why do you hate me so much?
Marshall	I was born to hate you. Mr. Great Athlete. Mr. Perfect Son. Well, they didn't think you were so perfect when they found Cindy Roper's body, did they? Funny. All the clues seemed to point to you. Well, Dad's dead now. I have the money. I have the power. Believe me, there's no way I'm going to let you come back to life and take it all.
Harlan	Then you'll have to kill me.
Marshall	[Do you] Want to bet?
Vera	I always loved family reunions.
Marshall	This doesn't concern you, Vera!

La última aventura

Vera	*Harlan, todos pensamos que estabas muerto. Pensaste que habías matado a tu propio hermano, ¿no? Bueno, pues aquí está. Eres un fracaso, Marshall.*
Marshall	*¡Cállate, Vera!*
Vera	*¿Fue eso lo que le sucedió a Cindy también?*
Marshall	*¡Tú cállate!*
Vera	*Ten cuidado. Todo está escrito.*

Rachel entra

Marshall	*¡Quítate de en medio!*
Vera	*Yo siempre supe quién mató a Cindy.*
Marshall	*¡Cállate, Vera!*
Vera	*¡No! Estaba trabajando como mesera en el "Red Dog" esa noche. Luther había entrado con Cindy. Luego tuvieron una discusión. Por eso se fueron. Marshall apareció afuera. Estaba conduciendo tu automóvil y lo vi abrir la puerta. Cuando la encontraron muerta, yo supe qué había ocurrido.*
Marshall Joven	*¡No te rías de mí! ¡No te rías de mí! ¡No te rías de mí! ¡Tú, no te rías de mí!*
Marshall	*¡Cállate, Vera!*
Vera	*Estaba tan aterrado que le di una salida. Echale la culpa a Harlan, le dije. Y él lo hizo. Y yo conseguí lo que quería. Porque él me necesitaba. Dejaron de reírse cuando me convertí en la Sra. Errickson. Tal vez fue por eso que te ayudé. ¿Cindy se rió de ti?*

Vera	Harlan, we all thought you were dead. You thought you killed your own brother, didn't you? Well, here he is. You are such a *screw up*[104], Marshall.
Marshall	*Shut up*[105], Vera!
Vera	Is that what happened to Cindy, too?
Marshall	You shut up!
Vera	You be careful. It's all written down.

Rachel Enters   1:21:36

Harlan	Stay out of the way!
Vera	I knew who killed Cindy *all along*[106].
Marshall	Shut up, Vera!
Vera	No! I was waitressing at the "Red Dog" that night. Luther had come in with Cindy. Then they had an argument. So they left. Marshall *turned up*[107] outside. He was driving your car, and I saw him open the door. When she was found dead, I knew what had happened.
Young Marshall	Don't laugh at me! Don't laugh at me! Don't laugh at me! Don't you laugh at me!
Marshall	Shut up, Vera!
Vera	He was just so petrified that I gave him a way out. Blame it on Harlan, I said. And he did. And I got what I wanted. That was when he needed me. They stopped laughing when I became Mrs. Errickson. Maybe that's why I helped you. Did Cindy laugh at you?

---

104 screw up: (vulgarismo)= Referente a alguien incapaz que estropea todo.
105 shut up: (literal) Ciérrate; (coloquial)= cierra la boca, calla.
106 all along:= Siempre, todo el tiempo.
107 turned up: (literal) Se dio vuelta hacia arriba (como los objetos en el tiro al blanco); (coloquial)=apareció.

La última aventura

Marshall	*¡Shh!*
Vera	*¿Por eso fue que la mataste?*
Marshall	*¡Porque era una ramera! ¡Recibió lo que se merecía!*
Vera	*Porque no sirves como hombre. ¡Bastardo!*
Marshall	*¡Estás muerto!*
Harlan	*¡Sí! Todo ha terminado, hermano.*
Marshall	*Será mejor que me dispares. Nunca sobreviviré en la prisión.*
Harlan	*Estoy seguro de que encontrarás la forma.*
Comisario	*¡Suelta el arma! ¡Suéltala!*
Chad	*¿Dónde está mi hermana?*
Rachel	*Adentro.*
Comisario	*Quiero que sepas, Marshall, que hice como dijiste. Hice algunas averiguaciones en serio sobre la muerte de Frank y del viejo Hayes. Los dos muchachos que ayudaron a Luther a hacer tu trabajo sucio cantaron como jilgueros.*

Marshall   Shh!

Vera   Is that why you killed her?

Marshall   Because she was a slut! She got what she deserved!

Vera   Because you couldn't *perform*[108]. You bastard!

Marshall   You're dead!

Harlan   Yeah! It's all over, brother.

Marshall   You [had] better shoot me. I'll never *make it*[109] in prison.

Harlan   I'm sure you'll find a way.

Sheriff   Drop the gun! Drop it!

Chad   Where's my sister?

Rachel   Inside.

Sheriff   I want to let you know, Marshall, I did like you said. I did some real investigating into the death of Frank and old Bill Hayes. The two boys that helped Luther out doing your dirty business, they *sang like mountain dew*[110].

---

108 perform: (coloquial)= Forma de "perform sexually"= llevar a cabo el acto sexual.
109 make it: (literal) Hacerlo; (coloquial)= superar un obstáculo, sobrevivir.
110 sang like mountain dew: (literal) Cantaron como rocío de la montaña; (coloquial)= confesaron todo.

La última aventura

Todo está bien

Rachel   *Buenos días, a mis amigos que están en el país de la radio. Les habla Coyote, que llega a ustedes hoy con la resolución del perfil sobre Harlan Errickson. Según lo que aprendí, de todos ustedes y de mi investigación, Harlan fue una verdadera pérdida para esta comunidad. Pero me he dado cuenta, mientras trabajaba en esta historia, de que todos somos héroes en un sentido u otro. Todos sobrevivimos. Y, como dice Alice Childress, un héroe no es más que un emparedado. Han sido un público maravilloso. Hemos explorado buena música juntos, pero es hora de que yo me marche. Así que teniendo esto presente, les digo adiós a ustedes y a Harlan con una canción que me dijeron que le pidió a su novia que tocara cuando se sintiera sola y añorando que él estuviera aquí. Esta es para ti, Harlan.*

All's Well   1:25:38

Rachel   Good morning, my friends out there in radio land. This is Coyote coming to you today with my resolution on Harlan Errickson's profile. From what I've learned from all of you and from my research, Harlan was a real loss to this community. But I realized while I was doing his story that we're all heroes in a sense. We all endure. And as *Alice Childress*[111] says, a *hero*[112] is nothing but a sandwich. You've been a wonderful audience. We've explored good music together, but it is time for me to *move on*[113]. So with this in mind, I'm saying goodbye to you and to Harlan with a piece, I'm told, he asked his sweetheart to play whenever she was lonely and longing for him to be here. This one's for you, Harlan.

---

111 Alice Childress: Escritora y dramaturga africoamericana.
112 hero: (literal) Héroe;= nombre de un emparedado grande en EE.UU.
113 move on: (literal) Moverse hacia; (coloquial)= seguir el camino de la vida hacia otros rumbos.

Aprendamos
conversando

Unidad 5: ¿Vamos al cine?

A   What would you say to a movie this evening, María?
¿Te gustaría ver una película esta noche, María?

B   What a good idea! Have you any particular one in mind?
¡Qué buena idea! ¿Tienes alguna en particular en mente?

A   Something light and amusing. What about the Michael Douglas movie, "Black Rain"?
Algo ligero y divertido. ¿Qué te parece la película de Michael Douglas, "Lluvia negra"?

B   Sounds fine. Where is it on?
Suena bien. ¿Dónde la están pasando?

A   It's playing at the Paris, next to the Plaza Hotel. Let me see. It starts at 7:10.
La están pasando en el París, junto al Hotel Plaza. Déjame ver. Empieza a las 7:10.

B   OK, let's meet here at 5:30, after class, and have a quick sandwich before we go.
Bueno, reunámonos aquí a las 5:30, después de clase, y comeremos un emparedado rápido antes de ir.

A   Right. See you there at 5:30, then. Bye for now. Back to class.
Seguro. Entonces te veo ahí a las 5:30. Adiós. Vuelvo a clase.

Variantes y combinaciones

see you here
te veo aquí

Unidad 6: Discutiendo horarios de trabajo

A   Are you coming in tomorrow morning, Carla?
¿Vendrás mañana por la mañana, Carla?

B   Excuse me? I didn't catch what you said, Juan.
¿Perdón? No entendí lo que dijiste, Juan.

A   I wondered if you were working tomorrow morning.
Me preguntaba si trabajabas mañana por la mañana.

B   Let me check the schedule. Saturday the twenty-second. It looks like
I'm down for the early shift tomorrow, yes. But I'm off Sunday.
*Déjame revisar el horario. Sábado veintidós. Mmm, sí, parece que
mañana me toca el turno de mañana. Pero no trabajo el domingo.*

A   That's what I thought. Good. Then I'll see you tomorrow morning.
Have a good night.
*Eso es lo que pensaba. Bueno. Entonces, te veo mañana por la
mañana. Que pases una buena noche.*

B   Thanks. You too. Good night.
Gracias. Tú también. Buenas noches.

Unidad 7: Conversando mientras espera el autobús

A   Hi, are you waiting for the bus to L.A., too?
Hola, ¿usted también está esperando el autobús a Los Ángeles?

B   Excuse me, are you talking to me?
Disculpe, ¿está hablando conmigo?

A   Well, yes, I guess we must be waiting for the same bus.
The 11:20 to L.A. Are you going to L.A., too?
Bueno, sí, supongo que debemos estar esperando el mismo autobús.
El de las 11:20 a Los Ángeles ¿Usted también va a Los Ángeles?

B   Well, yes I am. The bus sems to be late, doesn't it?
Bueno, sí. Parece que el autobús está retrasado, ¿verdad?

A   Yes, twenty minutes, it seems. That's what the announcement said.
We may as well get a coffee or soda. It's a long bus ride. Would you
care to join me?
Sí, veinte minutos, por lo visto. Eso es lo que decía el aviso.
Más vale que vayamos por un café o un refresco. Es un viaje largo
en autobús. ¿Le gustaría acompañarme?

B   Sure, why not. Good idea. It is a long ride.
Claro, ¿por qué no? Buena idea. Es un viaje largo.

Variantes y combinaciones

It's a long ride to L.A.
Es un viaje largo a Los Ángeles.

¡Felicidades!

Ha completado con éxito los 12 libros de Inglés
sin Barreras. Ha tenido que trabajar duro para lograrlo.
Recuerde que, gracias a sus esfuerzos, se le han
abierto las puertas a mundos nuevos. Si persevera en la
práctica y uso del inglés, podrá compartir otras maravillosas
aventuras. ¡Aprender un nuevo idioma merece la pena!

¡Le damos la enhorabuena por el esfuerzo realizado!

Sus amigos de Inglés sin Barreras